ATTILA HILDMANN

VEGAN FOR STARTERS

WWW.MENGENRECHNER.DE
kcal
UNSER KOSTENLOSER SERVICE FÜR SIE

ATTILA HILDMANN

VEGAN FOR STARTERS

Die einfachsten und beliebtesten Rezepte aus 4 Kochbüchern

ATTILA HILDMANN

JEDER KANN DIE KURVE KRIEGEN

15 Jahre und 35 Kilogramm liegen zwischen beiden Fotos. Ein Einzelfall? Nein. Inzwischen haben Hunderte ähnliche Bilder bei Facebook oder Filme auf YouTube gepostet, mit denen sie zeigen, dass sie mit meinen veganen Rezepten eine ähnliche Performance hingelegt haben.

Die fetten Jahre und das faule Dasein auf der Couch sind für mich vorbei. Seit bereits 15 Jahren lebe ich vegan, habe 35 Kilo abgenommen und mein Leben grundlegend verändert.

Wohlbefinden, Fitness und das Gefühl, in einem gesunden, attraktiven Körper zu leben, sind für mich nicht mehr Traum, sondern gelebte Realität. Bewegung und körperliche Herausforderungen gehören heute zu den Dingen, die für mich tatsächlich unverzichtbar geworden sind. Was kaum einer glauben mag: Ich schlemme trotzdem noch genauso gern wie vorher. Auf Genuss will ich nämlich keinen Tag verzichten. Erstklassiges Essen gehört für mich absolut dazu.

Jede vegane Mahlzeit hilft – aber moralische Zeigefinger sind out. Essen soll Spaß machen! Darum zeige ich hier Rezepte, die superlecker und gleichzeitig einfach zu kochen sind.

Als Veganer setzt du jedoch auch ein Zeichen gegen Massentierhaltung, Regenwaldabholzung, Klimawandel, Armut in der Dritten Welt und die Verschwendung von Ressourcen. Für viele Probleme auf der Welt könnte vegane Ernährung eine Lösung darstellen.

GO VEGAN – GET FIT!

ZU DIESEM BUCH

Die Zeiten haben sich geändert: Vegan ist in der Mitte der Gesellschaft und in vielen Köpfen angekommen. Weit über eine Million Bücher sind verkauft, eine fast unvorstellbare Menge. Über 100 voll beladene Sattelschlepper sind notwendig, um diese Menge zu transportieren.

Trotzdem fühle ich mich nicht am Ziel. Es gibt nach wie vor jedes Jahr Hunderttausende, die sinnloserweise an nahrungsbedingten Krankheiten sterben. Es gibt weiterhin großes Leid in der Massentierhaltung und die Umwelt ächzt unter der Last der Treibhausgase und der Abholzung infolge des unstillbaren Fleischhungers der Weltbevölkerung.

Mit meinen Büchern habe ich Millionen Menschen erreicht, aber viele eben auch noch nicht. Einer der Gründe dafür ist sicherlich, dass viele Menschen nicht bereit sind, für eine ihnen nicht vertraute Sache einfach mal 30 Euro auszugeben, ohne zu wissen, ob die Gerichte schmecken und ob die Ernährungsweise wirkt. Deshalb habe ich mit meinem Verlag ein Buch entwickelt, das nur 12,95 Euro kostet, mehr als 40 der beliebtesten Rezepte enthält und vegan auf der Basis der letzten vier Bücher in den wichtigsten Auszügen schnell lesbar und gut verständlich erklärt. Für Neueinsteiger eben, die meine Bücher oder meine Kalender noch nicht haben.

Ich habe die Hoffnung, dass dieses sehr günstige Buch auch an Freunde, Verwandte, Kollegen und alle die weitergegeben wird, denen man Gutes tun will, die man inspirieren möchte, vegan einfach mal zu probieren. Und ich habe die Hoffnung, dass dieses Projekt weitere Millionen Menschen dazu bringen wird, ab und an, vielleicht einmal am Tag oder einen Tag in der Woche, oder sehr gern öfter, auf Tier im Essen zu verzichten und so ein weiteres, noch größeres Zeichen zu setzen.

Niemand soll dabei auf seinen Style, seinen Genuss oder sein gewohntes Leben verzichten, sondern einfach offen sein für richtig leckeres, gesundes Essen, mit vielen guten Folgen für die Tiere, die Umwelt und die eigene Gesundheit. Gemeinsam können wir die Welt damit ein Stück weit verändern.

Dein
Attila Hildmann

WAS DIESES BUCH LEISTET:

„Vegan for Starters“ gibt dir einen schnellen Überblick über alle wichtigen Aspekte veganer Ernährung.

„Vegan for Starters“ enthält für Veganeinsteiger wesentliche Auszüge aus den bereits erschienenen Büchern „Vegan for Fun“, „Vegan for Fit“, „Vegan for Youth“ und „Vegan to go“ zu Ethik, Umwelt, Gesundheit und Ernährung sowie über 40 ausgewählte Lieblingsrezepte.

INHALT

Vorwort: Zu diesem Buch

Rezepte

Ausführliche Infos
Seite 126

Amaranth-Joghurt-Pop, S. 43

Döner, S. 76

Samurai-Shakes, S. 106

Chili, S. 82

Kürbispommes, S. 81

Tofu-Rührei, S. 48

Macadamia Chocolate Chip Cookies, S. 115

Kürbissalat, S. 92

Attilas Spaghetti Tofubolognese, S. 58

WAS BEDEUTET VEGAN?

Ganz einfach: keine tierischen Produkte. Also kein Fleisch, keine Milchprodukte wie Käse und Butter, keine Eier. Eben nichts, wofür ein Tier sterben muss oder für das es ausgebeutet wird. Die übliche Reaktion darauf ist oft: „Was kann ich dann überhaupt noch essen?" Du wirst überrascht sein, wie vielfältig und lecker du vegan kochen kannst. Und das Beste ist: Die vegane Küche bringt dich wieder in eine lang vermisste gesunde Balance. Die häufigsten Fragen dazu: „Ist eine vegane Ernährung gesundheitsschädlich? Fehlt einem damit nichts?" Ganz im Gegenteil! Eine ausgewogene vegane Küche ist extrem gesund und macht dich fitter denn je. Sie besteht zum Beispiel aus viel Gemüse, Obst, Nüssen, Hülsenfrüchten, Pilzen, Kartoffeln, Reis, Amaranth, Soja, Quinoa, Ölen, Kräutern und frischen, leckeren Smoothies. Natürlich gibt es auch Eis, Süßigkeiten und Klassiker wie Bolognesesauce und Döner. Meine vegane Küche setzt zudem auf Biozutaten. Damit ist sie die zurzeit denkbar gesündeste Ernährungsform. Wenn du dich länger als 30 Tage vegan ernähren willst, solltest du aber vor allem auf die Zufuhr von Vitamin B_{12} achten. Andere kritische Nährstoffe und Vitamine sind nicht nur Eisen, Zink, Selen und die Vitamine B_2, B_6, sondern auch Omega-3-Fettsäuren. Das gilt aber auch zum Teil für andere Ernährungsformen. Wer sichergehen will, lässt sich dazu in der Apotheke beraten. Auf Wunsch erhältst du dort auch ein rein veganes Produkt zur Supplementation mit besonders hochwertigen Komponenten, an dessen Entwicklung ich mitgearbeitet habe und in das ich meine Erfahrung einbringen konnte.

WARUM VEGAN?

Sicher ist nur, dass jeder Mensch das anders sieht. Mir ist seit jeher wichtig, dass die Entscheidung für keine oder weniger tierische Nahrung nicht aus dem Zwang oder durch Gruppendruck zustande kommen sollte. Gründe gibt es genug:

FÜR DIE GESUNDHEIT

Weltweit fordern Ärzte und Wissenschaftler dringend, weniger tierische Nahrungsmittel zu essen. Allein in Deutschland sterben jedes Jahr über 400.000 Menschen an Herz-Kreislauf-Krankheiten, den Folgen einer zu tierfettreichen Kost mit viel Cholesterin.

FÜR DIE FIGUR

Der Grund, warum Menschen mit meiner veganen Ernährung viel leichter und auf Dauer zu ihrem Wunschgewicht kommen, ist die günstigere Fettbilanz. Zudem nimmt man mit pflanzlicher Nahrung viel mehr Vitamine und Ballaststoffe und weniger ungesunde gesättigte Fettsäuren zu sich. Außerdem empfehle ich Vollkornprodukte, da diese länger satt machen.

FÜR DAS GEWISSEN

Die Zustände in vielen Bereichen der modernen Tierhaltung sind beschämend. Qualzüchtungen, enge Ställe, Tiertransporte und das Seuchenrisiko gehören zum perversen Geschäftsmodell einer Industrie, die ich nicht unterstützen möchte. Deshalb kaufe ich nur Pflanzliches und nur Bioprodukte. So erspare ich mir chemische Zusatzstoffe im Essen, die dort nichts zu suchen haben und die durchaus gefährlich sein können.

FÜR DAS KLIMA

Die Methangas-Ausscheidungen der Kühe sind heute die Hauptursache des Klimawandels – nicht unsere Autos, Flugzeuge und Schiffe.

FÜR DIE UMWELT

Für Sojaplantagen werden im großen Stil weltweit Regenwaldflächen gerodet. Aber daran ist nicht das bisschen Tofu in meinen Rezepten schuld. 90 Prozent der europäischen Sojaimporte sind für die Tierhaltung bestimmt. Für die Produktion von einem Kilo Fleisch müssen unglaubliche neun Kilo Soja gefressen werden. Übrigens: Wer seine Sojaprodukte im Bioladen kauft, kann sicher sein, dass er damit keine Rodungen unterstützt.

ERNÄHRUNG MIT TIERISCHEN PRODUKTEN	VEGANE ERNÄHRUNG
In Fleisch, vor allem aus Massentierhaltung, finden sich neben tierischen Fetten auch oft Antibiotika und Stresshormone.	Der Cholesterinspiegel senkt sich bei veganer Ernährung deutlich, da Pflanzen gar kein Cholesterin enthalten.
Fisch ist heute oft schwermetallbelastet oder wird mit Antibiotika in Zuchtfarmen behandelt. Viele Arten sind bereits vom Aussterben bedoht.	Pflanzliches Eiweiß ist viel leichter zu verdauen als tierisches. Deshalb haben Veganer eine bessere Leistungskurve.
Milchprodukte müssten eigentlich Muttermilch-produkte heißen. Sie enthalten Hormone. Kein anderes Lebewesen als der Mensch ernährt sich lebenslang von Muttermilch. Dass das wirklich gesund ist, wird zunehmend bezweifelt.	Ohne Milchprodukte verbessert sich bei vielen das allgemeine Hautbild, selbst Neurodermitis kann gelindert werden.

TIERSKANDALE

- Salmonellen (in Geflügel, 1976)
- Rattengift Thallium (in Milch, 1979)
- Pestizid Dieldrin (in Butter, 1979)
- Hormone (in Kalbfleisch, 1980)
- Cadmium (in Milch, 1984)
- Würmer (in Fischen, 1987)
- Dioxin (in Milch, 1988)
- Botulismus-Bakterien (in Joghurt, 1989)
- Listeriose-Bakterien (in Weichkäse, 1989)
- Kolibakterien (in Fast-Food-Buletten, 1991)
- Antibiotikum Streptomycin (in Honig, 1995)
- Nikotin (in Hühnerfutter, 1996)
- BSE-Skandal (2000)
- Antibiotikum Chloramphenicol (in Shrimps, 2001)
- Antibiotikum Tetracyclin (in Putenfleisch, 2003)
- Nitrofuran (in Hähnchenfleisch, 2003)
- Dioxine und PCB (in Zuchtlachs, 2004)
- Altes Hackfleisch neu verpackt im Handel (2005)
- Schlachtabfälle (als Fleisch verkauft, 2005)
- Gammelfleisch (2005)
- Geflügelgrippe (2005)
- Dioxin (in Eiern, 2010)
- Listerien (Todesfälle nach Rohmilchkäseverzehr, 2010)
- Klebefleisch (2010)
- Schweinegrippe (2010)
- Verstrahlte Meeresfrüchte (aus Fernost, 2011)
- Keime (in Schafskäse, 2012)
- Pferdefleisch (in der Lasagne, 2013)

Acai-Pulver
Acerola-Pulver
Matcha-Pulver

DER PFLANZLICHE TURBO

Neben einem besseren Sättigungsgefühl durch die ballaststoffreichen veganen Zutaten, der höheren Nährstoffdichte in Obst und Gemüse und den Fatburner-Eigenschaften sind es auch die sogenannten pflanzlichen Schutzstoffe, die eine vegane Ernährung attraktiv für eine Gewichtsreduktion machen. Vegan ist die denkbar vitalstoffreichste Ernährungsform, die den pflanzlichen Turbo in deinem Körper startet. Die positiven Veränderungen wirst du schon nach weniger als zwei Tagen bemerken: Du fühlst dich leichter, energiegeladen, gesättigt und verlierst spielend leicht Speckkilos. Schaut man sich die neuesten wissenschaftlichen Studien an, kann man erkennen, dass viele tierische Produkte im Verdacht stehen, Zivilisationskrankheiten zu begünstigen. So gilt heute als gesichert, dass zu viel rotes Fleisch etwa Darmkrebs begünstigen kann. Auch kann Milch, eigentlich ausschließlich eine Nahrung für Tierbabys, nicht das ideale Lebensmittel für ausgewachsene Menschen sein. Eine Vielzahl kritischer wissenschaftlicher Studien weist auf Nachteile des Verzehrs hin. Keine andere Spezies auf diesem Planeten trinkt übrigens die Muttermilch einer anderen Tierart.

Ich bin nicht von heute auf morgen Veganer geworden, aber je mehr ich mich einlas, desto mehr überzeugten mich die Fakten und umso mehr änderte sich mein Essverhalten. Heute setze ich auf vegane Biozutaten. Als ich beispielsweise Milchprodukte vom Speiseplan strich, verschwanden meine Akne und Neurodermitis innerhalb von vier Wochen. Es sind die sekundären Pflanzenstoffe, Vitamine und Mineralien, die unseren Stoffwechsel in Schwung halten und uns vor den Umweltschäden schützen. Unser Körper wird ständig von freien Radikalen angegriffen. Das sind Atome, die unserem Körper das Elektron einfach wegreißen und damit die Zellen schädigen. Wir fangen an, in unseren kleinsten Bausteinen kaputtzugehen, also zu altern. Um das möglichst zu verhindern, ist eine Ernährung wichtig, die reich an antioxidativen Schutzstoffen ist. In der Wissenschaft gibt es für das antioxidative Potenzial von Lebensmitteln den ORAC-Wert, das ist die Abkürzung für Oxygen Radical Absorption Capacity. Je höher der ORAC-Wert eines Lebensmittels ist, desto mehr ist dieses in der Lage, unseren Körper vor schädlichen oxidativen Prozessen und damit vor dem Altern zu schützen. Im Labor erzeugt man diese schädlichen freien Radikale chemisch und gibt dann eine Antioxidantienprobe hinzu – beispielsweise etwas Obst oder Gewürze. Dadurch werden die freien Radikale neutralisiert und man kann den ORAC-Wert für das jeweilige Lebensmittel berechnen. Ganz weit oben auf der Liste der Lebensmittel mit dem höchsten ORAC-Wert sind vegane Lebensmittel wie Acai-Beeren, Nelken, gemahlene Vanille, Kakao und Kräuter wie Thymian, Oregano und Majoran oder Matcha-Grüntee. Tierprodukte kommen dort nicht vor, denn sie sind nicht in der Lage, unseren Körper vor freien Radikalen zu schützen. Setzen wir darauf und schützen wir uns mit einem pflanzlichen Schutzschild vor negativen Umwelteinflüssen!

WAS SUPERFOODS LEISTEN KÖNNEN

Superfoods sind pflanzliche Lebensmittel mit vielen Mikronährstoffen und Antioxidantien. Dazu gehören sekundäre Pflanzenstoffe, Vitamine und Mineralien. Tierische Produkte enthalten keine Polyphenole und sind reine Makronährstofflieferanten mit einem sehr geringen Anteil an Vitaminen und Mineralien.

Man sagt den Superfoods viele positive Eigenschaften nach – beispielsweise eine Anti-Aging- und eine Schutzwirkung. So oft wir können, sollten wir diese Lebensmittel im Essen ergänzen, denn sie versorgen uns nicht nur mit den Makro-, sondern eben auch mit den notwendigen Mikronährstoffen. Dabei muss man sich nicht komplett umstellen: Ein paar Goji-Beeren in den Fruchtshake oder die Marmelade, Matcha-Grüntee ins Himbeercremeeis oder in den Shake, hochwertiger Biokakao in die Torte – es ist so einfach, seine normalen Mahlzeiten aufzuwerten. Liest man aktuelle Studien über Ernährung und die Vorbeugung von Zivilisationskrankheiten wie Krebs, wird einem schnell klar, welche Lebensmittel eine Schutzwirkung haben können. Darunter sind beispielsweise Beeren, Kohlgemüse, Ingwer, Knoblauch, grüner Tee, Sojaprodukte, Tomaten, rote Trauben, Zwiebeln und Gewürze wie Oregano oder Kurkuma. Eine umfangreichere Liste besonders antioxidantienreicher Lebensmittel findest du in der Tabelle rechts. Wichtig für den richtigen Gebrauch ist, auf Abwechslung zu achten. Es ist nicht sinnvoll, alle Antioxidantien allein aus Acai-Beeren oder Nelken zu sich zu nehmen.

SUPERFOODS UND IHRE ORAC-WERTE

TE/100 g – Micromol-Trolox-Äquivalent auf 100 Gramm

TOP ORAC GEWÜRZE & SUPERKRÄUTER	
1.	Nelken 314.446
2.	Zimt 267.536
3.	Oregano 200.129
4.	Kurkuma 159.277
5.	Kakao 80.933
6.	Kreuzkümmel 76.800
7.	Petersilie, getrocknet 74.349
8.	Basilikum, getrocknet 67.553
9.	Curry 48.504
10.	Salbei 32.004

TOP ORAC FRÜCHTE	
1.	Acai-Beere, tiefgekühlt 102.700
2.	Maqui-Beere, Pulver 75.000
3.	Maqui-Beere, Saft 40.000
4.	Goji-Beere 25.300
5.	Aronia-Beere, roh 16.062
6.	Holunder, roh 14.697
7.	Cranberry, roh 9.584
8.	Birne, getrocknet 9.496
9.	Pflaume 7.581
10.	Apfel, getrocknet 6.681

TOP ORAC EIWEISSLIEFERANTEN	
1.	Kidneybohne 8.459
2.	Pinke Bohne 8.320
3.	Schwarze Bohne 8.040
4.	Pinto-Bohne 7.779
5.	Linse 7.282
6.	Sojabohne 5.764
7.	Kuhbohne 4.343

TOP ORAC GEMÜSE	
1.	Artischocken 9.416
2.	Rotkohl 3.145
3.	Brokkoli 3.083
4.	Radicchio 2.380
5.	Süßkartoffel, gebacken mit Schale 2.115
6.	Spargel, gekocht 1.515
7.	Spinat, roh 1.260
8.	Paprika, orange 984
9.	Paprika, gelb 965
10.	Alfalfa-Sprossen 930

TOP ORAC GETRÄNKE	
1.	Wein, Cabernet Sauvignon 5.034
2.	Rotwein 3.873
3.	Blaubeersaft 2.906
4.	Grapefruitsaft 2.377
5.	Granatapfelsaft 2.341

TOP ORAC NÜSSE	
1.	Pekannuss 17.940
2.	Walnuss 13.541
3.	Haselnuss 9.645
4.	Pistazie 7.983
5.	Mandel 4.454
6.	Erdnuss 3.166

TOP ORAC SUPERFOODS	
1.	Matcha 157.300
2.	Dunkle Schokolade 22.700
3.	Granatapfel 10.500
4.	Wilde Blaubeere 9.300

Quellen:
X. Wu, G. R. Beecher, J. M. Holden, D. B. Haytowitz, S. E. Gebhardt, R. L. Prior: Lipophilic and Hydrophilic Antioxidant Capacities of Common Foods in the United States, 2004. Brunswick Laboratories: „ORAC Analysis on Matcha Green Tea"

STERBEFÄLLE 2011

(DEUTSCHLAND, GESAMTBEVÖLKERUNG)

32.988

Fremdeinwirkung
z. B. durch Unfälle, Vergiftungen, Komplikationen, Nebenwirkungen, Drogen, Mord etc.

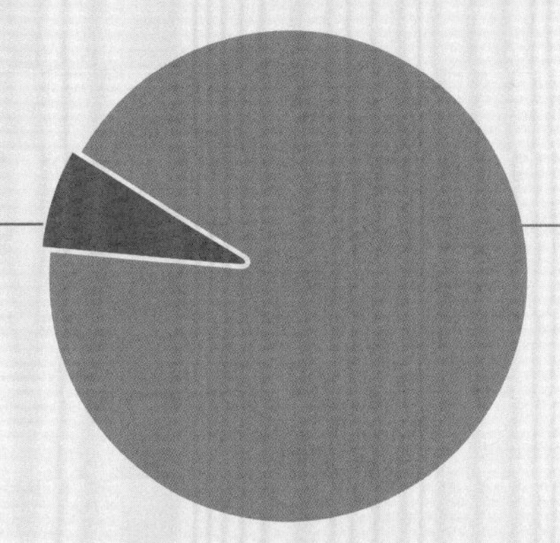

432.074

Herz-Kreislauf-Erkrankungen, ernährungsbedingt

Quelle: www.gbe-bund.de

ZIVILISATIONSKRANKHEITEN

(PROGNOSTIZIERTER ANSTIEG GEGENÜBER 2007 IN %)

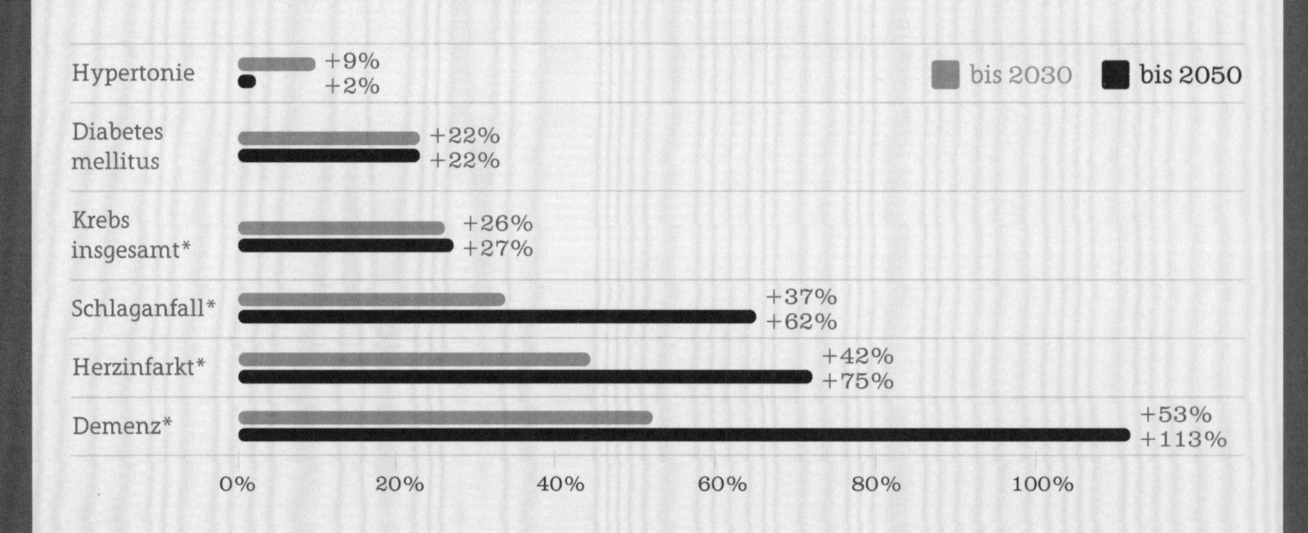

* Jährliche Neuerkrankungen.

Quelle: Fritz Beske Institut für Gesundheits-System-Forschung Kiel, 2009

VEGAN IST CHOLESTERINFREI

Wir leben in einem Land, das Millionen in die Behandlung von Herz-Kreislauf-Krankheiten investiert, da viele von uns mit den Langzeitschäden eines zu hohen Cholesterinspiegels kämpfen. Es ist tragisch, wie viele Menschen unter diesen Erkrankungen leiden müssen. Dabei meine ich nicht nur die Patienten, sondern auch die Angehörigen. Eine Ursache, wenn nicht sogar die Hauptursache, ist der übermäßige Genuss tierischer Lebensmittel. Diese sind reich an Cholesterin, was über einen längeren Zeitraum dafür sorgt, dass sich unsere Adern zusetzen. Der Herzinfarkt ist die Konsequenz. Ein wichtiger Grund, warum ich angefangen habe, mich vegan zu ernähren, war der Tod meines Vaters. Ich habe ihn sterben sehen, als wir den ersten Tag unseres Skiurlaubs in der Schweiz genießen wollten. Es war der dunkelste Tag meines ganzen Lebens. Mein Vater sagte immer, dass er das Leben und gutes Essen genießen wolle. Damals war ich auch noch kein Veggie und irgendwie ratlos. Verzweifelte Versuche, ihm das Frühstücksei am Sonntag verbieten zu wollen, hatten leider keinen nachhaltigen Erfolg.

Auch meine Cholesterinwerte waren schon in jungen Jahren zu hoch. Selbst als ich noch Vegetarier und nicht Veganer war, blieben sie konstant sehr hoch. Der Grund: Ich „verfeinerte" jedes Gericht mit Unmengen Käse – Parmesan über die Pasta, französischer Ziegenkäse im Tomatensalat, Greyerzer über das Kräuter-Tomaten-Baguette im Ofen. Erst als ich dann den Käse und andere Milchprodukte wegließ – übrigens der schwierigste Schritt zum Veganer – und anfing, vegan zu leben, stabilisierten sich meine Cholesterinwerte auf einem unbedenklichen Niveau.

Cholesterin ist wichtig für unsere Gesundheit, aber es wird in ausreichendem Maß von unserem Körper selbst hergestellt. Und wer zu viel cholesterinhaltige Nahrung zu sich nimmt, erhöht sofort massiv sein Risiko, die üblichen Zivilisationskrankheiten zu bekommen. Reich an Cholesterin sind zum Beispiel Krabben, Fleisch, Wurst, Sahne, Käse und Innereien. Meine vegane Küche ist dagegen komplett cholesterinfrei.

VEGANE ALTERNATIVEN IN DER KÜCHE

Blicke ich zurück, glaube ich heute, dass ich verschiedene Phasen des veganen Essens durchlebt habe und dass das auch eine Sache meiner persönlichen Entwicklung war. Somit änderte sich auch mein Einkaufsverhalten. So war ich am Anfang eher bemüht, alles wie das tierische Original zu kochen, und achtete noch nicht besonders auf die Qualität meiner Produkte.

In der Zeit war der ganz normale Supermarkt eine gute Anlaufstelle. Dabei war es mit dem richtigen Einkaufen jedoch oft schwierig, da viele der dort angebotenen Produkte versteckte tierische Inhaltsstoffe enthalten, beispielsweise Milchpulver in der Margarine, Butterfett in der Zartbitterschokolade oder den roten Farbstoff Cochenille aus toten Schildläusen im Erdbeereis. Dazu muss ich sagen, dass ich nicht wegen der Läuse Veganer geworden bin, sondern eher wegen schwergewichtiger Argumente wie Klimaschutz oder meine Gesundheit. Allerdings ist der Tote-Läuse-Farbstoff im Eis auch nicht gerade besonders appetitlich – unabhängig vom Begriff „vegan".

Angenehmer ist das Einkaufen dagegen im Bioladen, da die Produkte dort besser deklariert und die Zutatenlisten oft nicht so lang und kompliziert sind. Fundament einer veganen Ernährung sollten sowieso frisches Obst und Gemüse, Getreideprodukte, Hülsenfrüchte, Nussmus und Trockenfrüchte sein – da kann man beim veganen Einkaufen nicht viel falsch machen. Für alle, die im Alltag oder auf der Arbeit gern mal eine Tütensuppe, ein fertiges Nudelgericht für die Mikrowelle oder Ähnliches essen möchten, werden Bioprodukte immer häufiger als vegan gekennzeichnet. Mittlerweile gibt es übrigens eine Fülle an tollen veganen Fertiggerichten für den Hunger zwischendurch.

Hier nun die wichtigsten Tipps für veganes Einkaufen. Es geht mir dabei nicht um Werbung, auch wenn es zunächst so aussieht. Vielmehr möchte ich Tipps für Produkte und Equipment geben, die einfach unerlässlich sind, wenn man gute Ergebnisse beim veganen Kochen erzielen will. Vieles mag wie in der herkömmlichen Küche sein, andere Dinge sind dagegen unüberschaubares Neuland:

„Kann Spuren von Milch (etc.) enthalten" steht häufig auf Schokolade und ist nur ein Allergikerhinweis. Es bedeutet, dass die vegane Schokolade zum Beispiel in demselben Raum produziert wurde, wo vielleicht eine offene Milchtüte stand, oder dass sie auf einer Maschine hergestellt wurde, bei der die vorherige Charge Milchschokolade war. Dadurch können sich minimale Mengen der einen mit der anderen Schokolade vermischt haben. Der Hersteller sichert sich durch diesen Satz gesetzlich ab. Ich kaufe solche Produkte mit gutem Gewissen.

SAHNE

Statt Sahne nehme ich am liebsten weißes Mandelmus, das ich mit Wasser anrühre. Mandeln sind sehr gesund, enthalten viel Kalzium und geben dem Gericht eine sehr aromatische, leicht süßliche Note. Man kann auch Alternativen wie Soja- oder Hafersahne benutzen. Die Soyatoo! ist nach wie vor das einzige Produkt, das bio ist und gute Ergebnisse beim Aufschlagen bringt. Manche mögen den leichten Sojageschmack nicht. Man kann sie allerdings gut aromatisieren, beispielsweise mit echter Vanille oder etwas Kakaopulver für eine Zwei-Minuten-Mousse-au-Chocolat. Für das Kochen eignen sich andere pflanzliche Sahnealternativen wunderbar, die sich allerdings nicht so nennen dürfen. Sie heißen Cuisine und Co. und basieren auf Hafer (Oatly), Reis oder Soja (Provamel, Alpro).

FLEISCH

Wer den Übergang zu einer vegetarischen oder veganen Ernährung vollzieht und auf deftigen, fleischähnlichen Geschmack nicht verzichten möchte, greift am besten auf vegane Alternativen aus dem Bioladen zurück. Hier gibt es eine riesige Auswahl – zum Beispiel Schnitzel, Chicken-Nuggets, Tofuwürste und Gyros. Diese Produkte kann man auch hervorragend im Sommer bei einer Grillparty verwenden – das Einpinseln mit Öl ist dabei besonders wichtig. Die Produkte werden sonst etwas trocken. Der Vorteil dieser Alternativen ist natürlich, dass sie ökologisch und nachhaltig produziert werden und frei von ungesunden tierischen Fetten sind. Wer dennoch nicht gänzlich auf Fleisch verzichten kann, dem lege ich wenigstens Biofleisch ans Herz. Würden ganz viele Menschen hier zugreifen, gäbe es das Phänomen Massentierhaltung nämlich erst gar nicht.

Ich bevorzuge für Bolognesesauce, Chili oder Chefsalatstreifen sehr festen Tofu, weil es hier schon primär darum geht, dass man ein fleischähnliches Mundgefühl hat. Wirklich stark gepresst und ohne wabbelige Konsistenz ist zum Beispiel Viana Real Nigari Tofu. Wenn man Tofu zu einer Creme verarbeiten möchte – etwa in einem Dessert –, eignen sich eher lockerere Varianten. Den Grad der Pressung kann man an der Anzahl der Luftbläschen erkennen: Weicher Tofu hat viele Luftbläschen, fester Tofu weniger. Am besten macht man seine eigenen Erfahrungen und nimmt zwei verschiedene Blöcke zum Vergleich in die Hand. Absoluten Neulingen empfehle ich eher aromatisierte Tofuvarianten. Ganz oben in der Beliebtheitsskala steht der Viana Real Smoked Tofu, ein geräucherter Tofu, der sehr fest ist und sich wunderbar als Speckersatz eignet. Mit diesem Produkt kann man ganz schnell seine Scheu vor Tofu verlieren oder schlechte Tofuerlebnisse vergessen. Manche mögen ihn roh, ich mag ihn gebraten sehr gern, beispielsweise als kleine Würfel oder hauchdünne Scheiben – dadurch wird er besonders kross. Interessant sind auch aromatisierte Tofuvarianten, etwa mit getrockneten Tomaten, Oliven oder Basilikum.

EI

Wer für Kuchenteig die Bindung von Ei benötigt, kann auf Sojamehl zurückgreifen. Eier binden durch Lecithin. Dieses findet man auch als Sojalecithin in Sojaprodukten. Das ist schon lange ein Industriestandard, wenn man auf die Zutatenlisten diverser Convenience-Produkte wie Joghurt oder Pudding schaut. Ebenfalls eine bindende Wirkung haben übrigens zerstampfte Bananen oder Apfelmus. Für Eischnee kann man aufgeschlagene Sojaschlagsahne oder Ei-Ersatzpulver (Bioladen, gut sortierte Supermärkte) benutzen, das man mit Wasser anrührt und mit einem Schaumbesen schaumig schlägt.

MILCH

Statt Kuhmilch nimmt man in der veganen Küche diverse Pflanzenmilchsorten wie Sojamilch, Soja-Reis-Drink, Hafer-, Reis- oder Hirsemilch. Vanille, Schoko, Mokka, Chai oder Erdbeere: Selbst geschmacklich gibt es hier eine große Auswahl. Auch hier gilt, dass nicht alle demselben Qualitätsstandard entsprechen. Wer einmal eine schlechte Erfahrung mit einer pflanzlichen Milch gemacht hat, sollte weiterprobieren, bis er eine Sorte gefunden hat, die ihn geschmacklich überzeugt.

KÄSE

Veganer Käse ist bisher nur vereinzelt in Supermärkten erhältlich. Überwiegend wird er über diverse Onlineshops angeboten. Hier ist die Qualitätsspanne sehr groß. Der Geschmack reicht von ungewaschenen Käsefüßen über Plastik bis zu wirklich gut schmeckenden, herzhaften Alternativen zu Kuhmilchkäse. Meine Favoriten kommen aus der Schweiz – wie sollte es auch anders sein. Der No-Muh-Chäs Rezent schmeckt fast wie echter Parmesan, der Cheezly Mozzarella eignet sich super für Pizza, der Velcano ist gut für Käsesauce. In den USA ist unter anderem Daiya sehr beliebt, der beim Schmelzen auch Fäden zieht. Neben geriebenem Käse für Pizza findet man auch pflanzlichen Käse am Stück oder Frischkäse-Alternativen. Da die Nachfrage nach cholesterinfreiem, veganem Käse in den vergangenen Jahren immens angestiegen ist, darf man hier auch auf die Zukunft hoffen.

BUTTER

Für Butter gibt es im Supermarkt wie im Bioladen oder Reformhaus guten Ersatz. Bei Margarine sollte man unbedingt darauf achten, dass sie keine gehärteten Fette enthält, da diese nicht gesund sind. Beachtet man das, ist Margarine gesünder als Butter.

HONIG

Zum Süßen nehme ich am liebsten Rohrzucker oder Agavendicksaft. Letzterer ist eine sehr gute Alternative zu Honig. Auch süß und vollwertig sind Apfeldicksaft oder Zuckerrübensirup. Auf Industriezucker sollte man aus gesundheitlichen Gründen weitestgehend verzichten.

MAYONNAISE

Mayonnaise wird bekanntlich aus Eiern gemacht und ist folglich nichts für Veganer. Eifreie Mayonnaise findet man im Bioladen oder Reformhaus und in einigen Supermärkten im Trockenregal. Diese basiert auf Pflanzenöl mit Verdickungsmitteln. Es gibt sowohl Mayonnaise als auch Remoulade. Mit Sojamilch, Pflanzenöl, Essig und Guarkernmehl lässt sich ganz schnell eine eigene Mayonnaise kreieren. Wer Lust und Laune hat, sich einmal an einer selbst gemachten Mayonnaise zu probieren, der findet in diesem Kochbuch beim Eiersalat (S. 103) ein Rezept.

GELATINE

Um Gelatine zu ersetzen, kann man Agar-Agar benutzen, das aus Algen hergestellt wird. Um frische Früchte zu eigener Marmelade einzukochen, kann man Pektin benutzen, das aus Äpfeln gewonnen wird und als Fertigmischung im Bioladen erhältlich ist. Beide erzielen tolle Ergebnisse! Auch Vitaminkapseln kommen nicht immer ohne Tier aus: Viele der in Apotheken angebotenen Kapseln werden ebenfalls aus Gelatine hergestellt. Das ist natürlich eine Sache der persönlichen Entscheidung, ob man so etwas kauft oder nicht – interessant finde ich es allemal, wie weitreichend wir tierische Produkte nutzen.

KÄSEAUFSTRICHE UND FRUCHTQUARKS

Diese Produkte enthalten oft tierische Knochenbestandteile. Für alle, die sich nicht komplett vegan ernähren, sondern mit ein paar vegetarischen Tagen in der Woche beginnen, ist es sicher interessant zu wissen, dass viele der auf dem Markt angebotenen Frischkäsezubereitungen oder Fruchtquarksorten mit Gelatine, also den vermahlenen Knochen von Tieren, verfestigt werden. Auch die Cremes von Sahnetorten beim Bäcker werden oft mit Gelatine stabilisiert. Dabei gibt es das pflanzliche Verdickungsmittel Agar-Agar, das man dafür super verwenden kann. Übrigens: Auch Gummibärchen enthalten Gelatine.

FERTIGPRODUKTE

Sehr häufig wird konventionellen Produkten im Glas oder aus der Tiefkühltruhe – zum Beispiel Rot- und Grünkohl – für den angeblich herzhafteren Geschmack Schweineschmalz zugegeben.

WARUM VEGAN UND BIO?

An der Kasse kannst du mit abstimmen, ob Gier und Skrupellosigkeit im konventionellen Massenmarkt Zukunft haben oder nicht. Überleg mal, was du alles nicht mehr in dich reinstopfst:

- Geschmacksverstärker, Süßstoffe, Aromastoffe, Säuerungsmittel
- Konservierungsstoffe, Stabilisatoren, Emulgatoren, Farbstoffe
- Fließverbesserer, Trennmittel, Gelatine aus Knochen
- Stresshormone und Antibiotikazusätze
- Rückstände aus der Frischebegasung

Vegane Produkte in Bioqualität müssen auf Dauer nicht mal teurer sein. Hast du dich erst mal mit dem Grundvorrat an Nussmus und Co. eingedeckt, sind die Kosten für frisches Obst und Gemüse eher gering. Im Bioladen oder Reformhaus sind die Zutatenlisten kürzer und die Zutaten viel besser deklariert, da mehr pure Lebensmittel verarbeitet werden und viele konventionelle Zusätze dem Biostandard widersprechen.

Im Bioladen bestehen zum Beispiel Kartoffelchips noch aus Kartoffeln, Pflanzenöl, Salz und Gewürzen. Im freien Markt findest du aber auch Produkte, die noch nicht mal mehr 50 Prozent Kartoffeln enthalten – und die stammen dann überwiegend aus Püree oder Kartoffelmehl. Sie dürfen dann zwar auch nicht Kartoffelchips heißen, aber die Werbung tut so, als wären es welche. Was an Kartoffel zu wenig ist, haben sie zu viel an anderen Stoffen, die du kaum aussprechen kannst und die du freiwillig nie in den Mund nehmen würdest. Natürlich schneiden Chips dabei nicht schlechter ab als andere Produkte. Der Blick auf andere Etiketten spricht Bände. Hier gilt ganz einfach die alte Regel: alles möglichst frisch einkaufen und selbst zubereiten. So weißt du, was du zu dir nimmst.

Du solltest nie vergessen, dass dein Essen der Grundbaustoff für jede einzelne Zelle deines Körpers ist. Es sollte dir deshalb nicht egal sein, was du zu dir nimmst und woraus dein ganzer Körper auf Dauer aufbaut. Jeder krankmachende Prozess läuft schließlich mithilfe von Substanzen ab, die du irgendwann zu dir genommen hast, genauso wie jede Phase des Gesundwerdens. Es bleibt also nichts ohne Folgen – in die eine wie in die andere Richtung.

WELCHE BESCHWERDEN SICH BESSERN

Für die meisten Menschen ist es das erste Mal in ihrem Leben nach dem Säuglingsalter, dass sie auch nur einen einzigen Tag ohne chemische Zusatzstoffe leben, wenn sie sich konsequent vegan und aus dem Bioladen oder Reformhaus ernähren. Die Wirkung ist verblüffend. Die gute Nachricht: In kürzester Zeit erholt sich der Körper vom Dauerbeschuss durch angeblich gut gemeinte chemische Zusatzstoffe. Viele ernährungsbedingte Leiden oder Zivilisationsbeschwerden bilden sich spontan zurück oder bessern sich wesentlich. Es kommt bei den meisten Menschen zu:

- besserer Verdauung
- überraschendem Kraft- und Ausdauerzuwachs
- angenehm neutralem Körpergeruch und Geschmack im Mund
- reinerer, strafferer Haut mit jüngerem Aussehen und glänzenden Haaren
- höherer Konzentrationsfähigkeit, mehr Ausgeglichenheit
- weniger Schlafbedürfnis und steigenden sexuellen Bedürfnissen
- mehr Bewegungsdrang
- besserem Sättigungsgefühl ohne Heißhungerattacken
- schmerzfreier Periode (weibliche Veganer)
- deutlicher Gewichtsabnahme, dadurch auch weniger Schnarchen

Hier findest du eine Liste der Dinge, die sich durch vegane Ernährung bessern können:

- Neurodermitis
- chronische Entzündungen durch Kalkablagerungen an den Sehnen
- leichte Form der Cellulite
- Blähbauch, Verstopfung, Völlegefühl
- chronische Müdigkeit und Antriebslosigkeit
- Reizung des Verdauungssystems (Reizdarm)
- Hautunreinheiten
- Allergien

Kleine Beschwerden kann es auch geben: Einige Veganer berichten von Blähungen durch den Verzehr von Sojaprodukten.

ABNEHMEN, OHNE ZU HUNGERN

Es ist wichtig, dass dein Stoffwechsel aktiv bleibt. Isst du zu wenig, schaltet dein Körper in den Sparmodus. Sobald du ihm wieder mehr Kalorien anbietest, speichert er sie umgehend als Fettdepots. Diäten, bei denen du hungerst, bringen deshalb keinen langfristigen Erfolg. Was ist denn auch nach der Diätphase? Wir essen wieder wie bisher. Im besten Fall halten wir uns noch grob an das Schema – aber früher oder später sind die Speckkilos wieder auf den Hüften, denn unser Körper will zu seiner alten Figur zurück. Schließlich glaubt er ja, dass die Reserven notwendig gewesen sein müssen. Erst etwa ein bis zwei Jahre nach einem Höchststand gibt der Körper diesen Drang, zum alten Gewicht zurückzukehren, endgültig auf – vorausgesetzt, man hat in der Zwischenzeit nicht wieder zugenommen.

Langfristigkeit gepaart mit köstlichem Genuss: Das ist der Schlüssel zu einem schlanken, gesunden Körper. Hungerkuren sind dagegen Mangelernährungen, die sich später auch in gesundheitlichen Beschwerden zeigen können. Auch psychisch leiden wir durch das Hungergefühl und sind dann oft nicht mehr in der Lage, produktiv zu arbeiten.

Der Magerwahn vieler Mädchen ist ein gutes Beispiel: Weil sie schlank sein möchten wie Models, essen sie so wenig und noch dazu Lebensmittel mit einem geringen gesundheitlichen Wert. So legen sie den Grundstein für viele Krankheiten, die im späteren Leben auftreten, beispielsweise Osteoporose durch zu wenig Kalzium. Dabei achten inzwischen auch Topmodels auf ihre Ernährung – und viele ernähren sich sogar vegan!

Durch die veganen Rezepte hast du einen großen Vorteil: Du wirst auf genussvolle Weise satt und befriedigst deine kulinarischen Bedürfnisse. Gleichzeitig nimmst du ab, da du durch die vital- und ballaststoffreichen Lebensmittel deine Verdauung auf Trab hältst und deinem Körper genau das gibst, was er benötigt. Möchtest du innerhalb kürzester Zeit für die Strandfigur abnehmen, ernähre dich nach meinem Nummer-1-Bestseller „Vegan for Fit“: das effektivste, ausgeklügeltste Abnehmprogramm mit köstlichen Rezepten, von Hunderttausenden erfolgreich ausprobiert. Hungern ist out, nachhaltiger Genuss ist der richtige Weg!

WARUM ES DIR LEICHTFALLEN WIRD

Es gibt keinen Zwang, gleich ganz vegan zu werden, nur weil du es mal probieren willst. Für mich zählt sowieso jedes Essen. Gehe also ganz entspannt an die Rezepte in diesem Buch. Sie sind unglaublich lecker und werden dir keinerlei Verzicht abverlangen. Wahrscheinlich hast du selten so abwechslungsreich und frisch gegessen. Denk einfach daran: Mit jeder einzelnen veganen Mahlzeit tust du dir und deiner Gesundheit bereits etwas Gutes.

Auf Dauer hat es jedoch schon Vorteile, sich konsequent vegan zu ernähren, vor allem, wenn man abnehmen möchte. Einige Vorteile hat man nämlich nur, wenn man eine gewisse Zeit die Ernährung umstellt. Willst du vielleicht später mal 30 oder 60 Tage in Angriff nehmen, empfehle ich dir, zusätzlich die Bücher „Vegan for Fit" oder „Vegan for Youth" zu nutzen – je nachdem, worum es dir geht. „Vegan for Fit" sorgt in einer knackigen Challenge für eine deutlich gesteigerte Fitness und den Verlust von bis zu zehn Kilo Fett in 30 Tagen. „Vegan for Youth" hat die Revitalisierung deines Körpers, die Verbesserung der Beweglichkeit, das Auffüllen aller Ressourcen und Vitamindepots im Fokus. Abnehmen kannst du auch mit „Vegan for Youth" – und zwar ganz entspannt ungefähr sieben Kilo in 60 Tagen.

Die konsequente vegane Ernährung über mehrere Tage oder Wochen nach Rezepten, wie du sie in diesem Buch findest, hat vielfältige Vorteile gegenüber einer üblichen Ernährung: Zum einen nimmst du sehr viel mehr Ballaststoffe zu dir, was dich bei weniger Kalorien besser sättigt. Zum anderen kommt in den Rezepten überdurchschnittlich wenig Zucker und Weißmehl vor, ohne dass du sie vermissen wirst. Die Folge wird sein, dass dein Insulinspiegel nicht mehr so oft in die Höhe schießt. Die Heißhungerattacken bleiben aus und es werden insgesamt weniger Kalorien gegessen. Nicht wenige Veganer kommen deshalb mit zwei üppigen Mahlzeiten aus: einem kräftigen Frühstück und einem sehr frühen, ruhig üppigen Abendessen. Inzwischen weiß man übrigens, dass fünf Mahlzeiten am Tag eher dick machen, als beim Abnehmen zu helfen. Besser sind lange Pausen zwischen den Mahlzeiten. Starte also am besten erst mal mit drei Mahlzeiten und versuche, nach und nach auf zwei Mahlzeiten zu kommen.

Zwischenmahlzeiten lassen sich nicht immer vermeiden, aber vegan lebende Menschen haben einfach weniger Verlockungen zu widerstehen. Hat man nämlich einmal die neue körperliche Balance und Leistungsfähigkeit lieben gelernt, will man sie nicht für ein schnelles Eis, einen Schokoriegel oder eine fetttriefende Bratwurst wieder verlieren. Dadurch stellt sich mit der Zeit eine selektive Wahrnehmung ein, die dich das verlockende Angebot gar nicht mehr als solches empfinden lässt.

Mit steigendem Gefallen an einer gesunden Ernährung steigt die Aufmerksamkeit gegenüber Lebensmitteln im Allgemeinen. Nicht nur die Inhaltsstoffe interessieren einen plötzlich mehr, wenn man sich einmal damit beschäftigt hat. Plötzlich stellt man Sachen wieder ins Regal, weil sie gehärtetes Fett, Farbstoffe, Stabilisatoren oder andere unappetitliche Sachen enthalten.

Dafür sieht man Gemüse, Obst, Salate, Hülsenfrüchte, Nüsse, Samen, Sprossen, Öl und Gewürze mit anderen Augen. Auch Brot, Nudeln, Kartoffeln und Reis erfährst du völlig neu, wenn du erst mal Spaß daran gefunden hast, deinem Körper möglichst oft nur noch optimales Essen zu geben. Viel Neues landet jetzt auf dem Teller, was vorher eher nicht in der Küche zu finden war – Quinoa, Amaranth, Agavendicksaft, Mandelmus, Tofu sind nur einige davon. Und du wirst neue Techniken kennenlernen, die wirklich verblüffend sind und die du so sicher nicht für möglich gehalten hättest. So ist ein veganes Eis zum Beispiel in zwei Minuten fertig, superlecker und auch noch gesund. Und selbst ein riesiger Teller Spaghetti bolognese kann in meiner Version mit Zucchininudeln beim Abnehmen helfen, auch wenn du dich fast bis zum Platzen davon vollfutterst.

Ich wünsche dir viel Spaß mit den Rezepten! Sie wurden bereits von Hunderttausenden Veganfans gekocht und zählen allesamt zu den beliebtesten Rezepten aus meinen bisherigen vier Büchern. Alles andere erfährst du nur durchs Ausprobieren.

	100 g Spaghetti aus Weißmehl	**100 g Spaghetti** aus Zucchini
Kalorien	362	19
Kohlenhydrate	71 g	2,3 g
Vitamin A	0	50 µg
Vitamin B_1	0	0,1 mg
Vitamin C	0	16 mg
Kalium	0	200 mg
Ballaststoffe	nein	ja
sekundäre Pflanzenstoffe	nein	ja
Eiweiß	12,5 g	1,6 g
Fett	1,2 g	0,3 g

DIE ETHIK

DER TIERASPEKT

Ich denke, viele von uns machen sich ihren Konsum an tierischen Lebensmitteln und die damit verbundenen Folgen einfach nicht richtig bewusst. Man möge mir also die nächsten Zeilen verzeihen und mir keinen missionarischen Eifer unterstellen. Ich möchte nur die Zusammenhänge so beleuchten, wie sie tatsächlich sind. Schnitzel wachsen nun mal nicht in den Styroporschalen, in denen sie in den Kühltheken liegen. Nur wer darüber Bescheid weiß, wie tierische Lebensmittel produziert werden, kann für sich selbst die richtigen Schlussfolgerungen ableiten. Wer das nicht möchte, überspringt einfach dieses Kapitel.

FLEISCH UND FISCH

Riesige Flächen Regenwald werden jedes Jahr für den Viehfutteranbau gerodet. Ein komplettes Ökosystem gerät aus den Fugen, Tiere sterben aus – irgendwann werden auch wir die Auswirkungen zu spüren bekommen, produziert der Regenwald doch einen sehr wichtigen Teil des Sauerstoffs in der Luft. Oft haben die Tiere keinen Auslauf, sehen nie das Sonnenlicht. Viele werden sinnlos auf Transporten misshandelt, oft verfehlen die Bolzenschüsse beim Schlachten das Gehirn und den Tieren wird bei vollem Bewusstsein die Kehle aufgeschnitten. Rotes Fleisch steht im Verdacht, Darmkrebs zu begünstigen, ist voll gesättigter Fettsäuren und Cholesterin und enthält weder Ballast- noch Vitalstoffe. Für ein Steak werden 25.000 Liter Wasser und Unmengen an Futter verbraucht. Ferkel werden kurz nach der Geburt ohne Betäubung kastriert und man schneidet ihnen die Schneidezähne ab – eine sehr schmerzhafte Prozedur, wie man sich sicher vorstellen kann. Schweine gehören zu den intelligentesten Tieren auf diesem Planeten.

Die Weltmeere sind in ganzen Regionen leergefischt und die großen Fischereiboote zerstören mit ihren Schleppnetzen weiterhin ganze Meeresstriche. Oft gibt es Beifang in Form von Delfinen und bedrohten Tierarten wie Wasserschildkröten. Eine Folge davon ist beispielsweise die Quallenpest – früher haben die Schildkröten diese Meeresbewohner auf natürliche Weise im Zaum gehalten.

Fisch enthält durch die Verschmutzung der Meere oft einen hohen Anteil an Schwermetallen wie Quecksilber, das sich in unserem Körper anreichert. Dabei steht es im Verdacht, Herz-Kreislauf-Erkrankungen und Nervenschädigungen zu verursachen, Alzheimer zu begünstigen und das Immunsystem zu schwächen.

Durch Garnelen-Aquafarmen in Ländern wie Thailand werden ganze Landstriche verwüstet. Die Garnelen werden in kürzester Zeit gezüchtet und mit vielen chemischen Substanzen – unter anderem mit Antibiotika – gefüttert, die sich nicht nur im Fleisch anreichern, sondern auch den Boden und das Grundwasser vergiften.

Fische sind sensible Tiere, fühlen wie alle Wirbeltiere Schmerzen – und werden häufig ohne Betäubung aufgeschlitzt. Das alles für die Thunfischpizza. Für die Haifischflossensuppe werden Haifische gefangen, ihnen wird die Flosse abgeschnitten und dann werden sie lebendig wieder ins Meer geworfen. Dort verenden sie qualvoll.

Fleischkonsum begünstigt den Welthunger, da für die Fleischproduktion Unmengen an Futtermitteln verbraucht werden. Eine Milliarde Menschen leidet aktuell an Hunger und alle drei Sekunden stirbt ein Mensch an Unterernährung. Auf den Arealen dieser Futterpflanzen könnte man vielfältige Bioprodukte und Superfoods anbauen, die unseren Körper vor Alterungserscheinungen schützen würden, uns knackig halten und weitaus mehr Menschen ernähren könnten.

EIER

Männliche Küken werden nach dem Schlüpfen einfach geschreddert oder mit Giftgas getötet, da sie keine Eier legen können. In Deutschland sterben pro Jahr 50 Millionen männliche Küken auf diese Weise. Würden wir das mit Katzen- oder Hundebabys machen, könnte den Gedanken keiner ertragen. Eier enthalten viel Cholesterin im Eigelb, keine Ballast- oder Vitalstoffe und sind – betrachtet man es wissenschaftlich – eigentlich ungebrütete Küken. Für mich persönlich ist das keine appetitliche Vorstellung.

MILCH

Milchkühe werden jährlich geschwängert, denn nur eine schwangere Kuh kann über Jahre hinweg eine hohe Milchleistung erbringen. Es erinnert an einen perversen Porno: Der sogenannte Besamungstechniker nähert sich der Kuh von hinten und benutzt seinen ganzen Arm und eine Dosis Bullensperma, um die Kuh zu schwängern. Die Kuhkinder, also die Kälber, sind ein Überschussprodukt und werden billig für Wiener Schnitzel verkauft. Sie erhalten in ihrer circa dreimonatigen Mastphase oft nur mit Pulver angerührte Nahrung und werden von ihrer Kuhmama getrennt. Oft leiden die hochgezüchteten Mutterkühe auch an einer schmerzhaften Euterentzündung. Früher oder später landen Milchkühe in den Burgerbratereien.

Kein Tier im Naturreich trinkt die Muttermilch einer anderen Spezies – wir Menschen sind durch Sozialisation und Werbung jedoch so geprägt, dass wir es tun. Milchprodukte haben mir persönlich Pickel gemacht und ich hatte oft ein schleimiges Gefühl im Mund. Zudem hat Milch meine Neurodermitis verschlimmert und Milchprodukte im Allgemeinen haben meinen Cholesterinspiegel auf ein kritisches Niveau angehoben. Es gibt viele Menschen mit einer Laktoseintoleranz. Laktose ist der Name des Milchzuckers. Kann der Körper keine Laktase bilden – das ist der Name des Enzyms, das Milchzucker spaltet –, kommt es zu Verdauungsbeschwerden.

Wir haben in unserer Entwicklungsgeschichte Tiere gebraucht und benutzt und in harten Zeiten ihre Milch getrunken. Heute haben wir geniale Alternativen: Pflanzliche Milchsorten sind meiner Meinung nach nicht nur gesünder, sondern einfach sexy!

Milchprodukte wie Käse und Sahne sind vor allem Kalorienbomben und reich an ungesundem Fett. Käse wurde durch Zufall entdeckt, als man vor einigen Jahrhunderten vergorene Milch im Kälbermagen fand, die geronnen war. In Asien gibt es keine Käsekultur wie in Europa – hier greift man eher zu Sojaprodukten wie Tofu. Auch vertragen viele Asiaten keine Milch und haben eine Laktoseintoleranz.

Der Mensch hat zwar schon lange in seiner Entwicklungsgeschichte Fleisch und tierische Produkte gegessen, doch sind die Zustände in der Tierhaltung unserer Zeit so beschämend wie nie zuvor – kein Wunder, da unser Planet mittlerweile sieben Milliarden Menschen beheimatet. Aus der Ernährung ist ein gigantischer Massenmarkt geworden, der von einigen profitgierigen Menschen ohne jeden Skrupel zur persönlichen Bereicherung genutzt wird. Aber an der Ladenkasse kannst du mit abstimmen, ob diese Gier und die Skrupellosigkeit Zukunft haben. Biolebensmittel und alternative pflanzliche Lebensmittel sind hier ein ganz wichtiger Schritt in die richtige Richtung.

Ein weiterer Gedanke beschäftigt mich: Die Menschheit wäre mit all ihren fortschrittlichen Technologien heute noch nicht so weit, hätten wir Tiere nicht jahrtausendelang für unsere Bedürfnisse ausgenutzt. Das fing schon bei den Ochsen an, die Pflüge über das Feld zogen. Es ging weiter mit Tierversuchen für die medizinische Forschung und reicht bis zu den Tieren, deren einziger Sinn es zu sein scheint, als preiswertes Nahrungsmittel zu dienen.

Ich wünsche mir einfach nur, dass wir anerkennen, welchen Fortschritt wir durch die Tiere hatten. Wir würden heute nicht auf den Mond fliegen, hätten das Internet nicht und nicht die moderne Quantenphysik, ohne die Arbeit der Tiere in den Jahrhunderten zuvor. Denn vereinfacht gesprochen: Wer das Feld nicht selbst pflügen muss und es die Ochsen machen lässt, hat genug Zeit für Kunst, Kultur und Wissenschaft. Unsere Zivilisation und unsere moderne Medizin basieren quasi auf dem Schweiß und dem Schmerz der Tiere. Vielleicht ist es an der Zeit, ihnen etwas zurückzugeben und sie wenigstens beim Essen zu verschonen, wo es doch heutzutage so leckere und gesunde Alternativen gibt. Sagen wir doch einfach mal Danke und essen ein köstliches veganes Gericht. Vielleicht einmal die Woche oder einmal am Tag oder vielleicht auch öfter.

GLOBALE AUSWIRKUNGEN DES FLEISCHKONSUMS

Eigenes Wohlbefinden, Fitness und das Gefühl, in einem gesunden Körper zu leben, sind Dinge, die ich anstrebe. Hinzu kommt allerdings das sehr gute Gefühl, dass man fernab des eigenen Narzissmus einen Beitrag für eine bessere Welt leistet. Dabei geht es nicht darum, ein besserer Mensch als andere zu sein. Aber man kann festhalten, dass eine vegane Ernährung die optimale Lösung für viele Probleme auf der Welt darstellt. Als Veganer setzt du Zeichen gegen Massentierhaltung, Regenwaldabholzung, Klimawandel, Armut in der Dritten Welt und die Verschwendung von Ressourcen. Eine der Hauptursachen des Klimawandels sind die Methangas-Ausscheidungen der Kühe: Die Polkappen schmelzen also sozusagen wegen unseres Hungers nach immer mehr Steaks.

Auch berührt mich, dass ein Siebtel der Weltbevölkerung an Hunger leidet – das sind aktuell eine Milliarde Menschen. Diese Menschen könnten satt werden, wenn wir mehr Lebensmittel ohne Umweg über die Tiere produzieren würden, also mehr auf biovegane Ernährung setzen würden. Ich denke, wir Menschen haben noch genug Zeit, dafür zu kämpfen.

Ich bin nach wie vor kein Freund von Schwarz-Weiß-Denken und möchte anderen nicht vorschreiben, was sie denken sollen. Für mich zählt jedes Essen, jeder Schritt, jede Stufe, die wir nehmen, und sei sie auch noch so klein. So kann man mit 30 Tagen veganer Ernährung beginnen und sich einfach selbst beobachten, ob sie einem so guttut, dass man sie wiederholen will – vielleicht einmal die Woche oder eine Woche pro Monat oder wie auch immer. Und wenn das dann richtig viele Menschen aus sich selbst heraus und aus Lust an der neu gewonnenen Gesundheit tun, kann das mehr bewegen, als es jeder grimmige, militante Dogmatiker je geschafft hat.

Regelmäßig passiert es Menschen, dass sie erst mal auf eine fast feindliche Reaktion in ihrem Umfeld stoßen, wenn sie vegan starten. Das liegt vermutlich daran, dass Fleischesser sich per se irgendwie angegriffen fühlen, wenn sich mal jemand dem Fleisch oder der Mitschuld verweigert. Schon deshalb ist es eine einzigartige Erfahrung, mal die Seiten zu wechseln und zu sehen, wie es sich ohne diesen Komplex lebt, der bei ganz vielen Fleischessern im Unterbewusstsein gärt. Ähnliche bewusstseinserweiternde Erfahrungen machen übrigens Autofahrer, wenn sie sich mal aufs Fahrrad wagen.

Müsli, S. 47

Blumenkohl-Curry-Crunch, S. 63

Auberginentanker „Italian Sun", S. 72

Eiersalat-Brote, S. 103

Caesar Salad, S. 95

Rote Bratkartoffeln, S. 78

Mousse Black 'n' White, S. 112

Attilas Hummus, S. 100

Brotaufstriche, S. 55

48 AUSGEWÄHLTE

REZEPTE

AUS 4 BÜCHERN

Ausführliche Infos
Seite 126

HOLLYWOOD

START IN DEN TAG

AMARANTH-JOGHURT-POP MIT HIMBEEREN UND GERÖSTETEN KOKOSFLOCKEN

ZUTATEN für 2 Personen

60 g gepopptes Amaranth
260 g Sojajoghurt
4 EL Agavendicksaft
200 g Himbeeren
1 Msp. gemahlene Vanille
10 g Kokosflocken

ZUBEREITUNG ca. 10 Minuten

Amaranth und Sojajoghurt mischen, mit 2 EL Agavendicksaft süßen. Himbeeren verlesen. 1 EL Agavendicksaft mit Vanille mischen und die Beeren darin marinieren. Kokosflocken in einer Pfanne ohne Fett ca. 3 Minuten anrösten, bis sie leicht Farbe annehmen. Mit 1 EL Agavendicksaft süßen. Beeren mit dem Amaranth-Joghurt in Gläser schichten und abschließend mit gerösteten Kokosflocken toppen.

AH! Ist schnell der Liebling aller geworden, denn es ist schnell zu machen und schmeckt himmlisch leicht und lecker!

MINI-CRUNCH-PANCAKES MIT HIMBEER-JOGHURT-EIS

ZUTATEN für 2 Personen (6 Stück)

Für die Pancakes
60 g Vollkornmehl
140 ml Sojamilch
20 g Agavendicksaft
1 gestr. TL Backpulver
1 Prise jodiertes Meersalz
½ TL gemahlene Vanille
30 g gepopptes Amaranth

Für das Himbeer-Joghurt-Eis
150 g TK-Himbeeren
30 g Agavendicksaft
80 g Sojajoghurt Natur

Außerdem
etwas Walnussöl
2 Bananen
200 g Himbeeren
etwas Agavendicksaft

ZUBEREITUNG ca. 20 Minuten

Alle Zutaten für den Teig, bis auf das Amaranth, mit einem Schneebesen zu einem glatten Teig vermengen. Amaranth unterheben. Küchenpapier mit Walnussöl beträufeln. Eine beschichtete Pfanne damit ausstreichen und erhitzen. Pro Pancake ca. 1–2 EL Teig in die Pfanne geben und bei mittlerer Hitze 4 Minuten braten, vorsichtig wenden und dann weitere 4 Minuten braten.

Alle Zutaten für das Eis in einem Mixer oder mit dem Pürierstab gut durchmixen.

Bananen schälen und in Scheiben schneiden. Himbeeren verlesen. Pancakes mit Himbeeren und Bananenscheiben schichten, mit Himbeer-Joghurt-Eis und Agavendicksaft toppen.

AH! Pancakes gehen superschnell und geben dir die Power für den Tag. Für das Eis brauchst du eigentlich nur einen Pürierstab und Bio-TK-Himbeeren, das geht wunderbar fix und ist für die Hektik am Morgen gerade richtig. Frisches Obst, Vollkorn, Amaranth und Eis – so kann der Tag beginnen.

A. ERDNUSS-SCHOKO-MÜSLI
B. CRANBERRY-KOKOS-ANANAS-MÜSLI
C. BEEREN-MÜSLI

A. Erdnuss-Schoko-Müsli

ZUTATEN für 1 Person

170 ml Hafermilch
30 g Erdnussmus Crunchy
1 TL Biokakao
1 Msp. gemahlene Vanille
2 EL Agavendicksaft
100 g zuckerfreies Müsli
10 g geröstete Erdnüsse
1 Banane
etwas Zartbitterschokolade (50 % Kakaogehalt)

ZUBEREITUNG ca. 10 Minuten

Hafermilch mit Erdnussmus, Kakao, Vanille und 1 ½ EL Agavendicksaft im Mixer mixen. Mit Müsli vermengen und 5 Minuten ziehen lassen. Erdnüsse mit ½ EL Agavendicksaft vermischen. Banane schälen und in feine Scheiben schneiden. Müsli in ein Glas geben und abwechselnd mit der Hälfte Bananenscheiben schichten. Mit Erdnüssen, Bananenscheiben und eventuell ein paar Spänen Zartbitterschokolade toppen.

B. Cranberry-Kokos-Ananas-Müsli

ZUTATEN für 1 Person

100 g zuckerfreies Müsli
50 g Kokosmilch
30 g Agavendicksaft
40 g Cranberrys
160 g Sojajoghurt
¼ Ananas
20 g Kokoschips

ZUBEREITUNG ca. 10 Minuten

Müsli mit Kokosmilch, 25 g Agavendicksaft, Cranberrys sowie Sojajoghurt vermengen und 3 Minuten ziehen lassen. Ananas schälen und den Strunk entfernen. Das Fruchtfleisch in mundgerechte Stücke schneiden.
Die Kokoschips in einer Pfanne ohne Fett ca. 1–2 Minuten anrösten. Müsli in ein Glas geben, etwas Ananas daraufgeben, dann wieder eine Schicht Müsli. Mit Ananas, Kokoschips und 5 g Agavendicksaft toppen.

C. Beeren-Müsli

ZUTATEN für 1 Person

100 g zuckerfreies Müsli
160 ml Hafermilch
1 Msp. gemahlene Vanille
2 ½ EL Agavendicksaft
30 g Heidelbeeren
60 g Himbeeren
30 g Brombeeren
10 g geröstete Mandeln

ZUBEREITUNG ca. 10 Minuten

Das Müsli mit Hafermilch, Vanille und 1 ½ EL Agavendicksaft vermengen, 5 Minuten ziehen lassen. Heidelbeeren waschen, putzen, abtropfen lassen. Him- und Brombeeren verlesen. Die Beeren mit 1 EL Agavendicksaft mischen. Die Mandeln grob hacken und unter das Müsli heben. Müsli mit den Beeren in ein Glas schichten, dabei mit Müsli beginnen und mit Früchten enden.

TOFU-RÜHREI

ZUTATEN für 2 Personen
400 g weicher Tofu Natur
1 EL mildes Sonnenblumenöl
½ TL Kurkuma
1 EL stilles Mineralwasser
1 ½ EL weißes Mandelmus
jodiertes Meersalz
schwarzer Pfeffer aus der Mühle
1 Vollkornbrötchen
Außerdem
Schnittlauchröllchen und
Tomatenviertel zum Garnieren

ZUBEREITUNG ca. 12 Minuten
Tofu mit einer Gabel zerbröseln.
Sonnenblumenöl in einer Pfanne erhitzen und den Tofu ca. 3 Minuten mit **Kurkuma** anbraten.
Mineralwasser und **Mandelmus** dazugeben, mit **Salz** und **Pfeffer** würzen.
Das **Vollkornbrötchen** halbieren. Tofu-Rührei darauf mit einigen **Schnittlauchröllchen** und **Tomatenvierteln** garniert servieren.

AH! Mich erinnert das sehr stark an Rührei, dabei vermisse ich den typischen, penetranten Eigeschmack überhaupt nicht, sondern mir schmeckt es sogar besser. Man sollte nur darauf achten, den etwas lockereren Tofu zu kaufen (keinen Seidentofu) – der gibt das perfekte Ergebnis. Kurkuma sorgt für die charakteristische Farbe und schützt unseren Körper durch das enthaltene Curcumin, dem man eine krebsvorbeugende Wirkung zuschreibt.

NUSS-NUGAT-AUFSTRICH „BERLIN DREAM“

ZUTATEN für 1 Glas (500 ml)

70 g Zartbitterschokolade
(50 % Kakaogehalt)

200 g Haselnussmus

200 g Biomargarine

90 g Puderzucker

1 gestr. TL gemahlene Vanille

1 Prise jodiertes Meersalz

ZUBEREITUNG **ca. 15 Minuten plus ca. 20 Minuten Kühlzeit**

Die **Schokolade** in einem Wasserbad schmelzen. Man braucht nur 60 g, aber weil immer etwas am Topf kleben bleibt, nimmt man besser 70 g. Das **Haselnussmus** mit **Margarine, Puderzucker, Vanille** und **Salz** in einen Mixer geben und cremig pürieren. 60 g geschmolzene Schokolade dazugeben und erneut durchmixen.
Die Masse in das Glas füllen und im Tiefkühler ca. 20 Minuten kühl stellen.
Dann aufs Lieblingsbrot streichen und genießen.

AH! Nimm am besten eine vegane Biomargarine, die neutral oder – noch besser – leicht buttrig schmeckt. Bewahre den Aufstrich unbedingt im Kühlschrank auf. Wirklich sehr lecker! Und man schmeckt fast keinen Unterschied zur gekauften Variante.

FRÜHSTÜCKSBROT MIT AVOCADO-APFEL-TOPPING

ZUTATEN für 2 Personen (4 Brotscheiben)

½–1 Avocado
½–1 Apfel
1 EL Pinienkerne
4 Scheiben Vollkornbrot
1 kleine Handvoll Rettichsprossen (alternativ andere Sprossen)
1 EL Kürbiskernöl
jodiertes Meersalz
schwarzer Pfeffer aus der Mühle

ZUBEREITUNG ca. 10 Minuten

Die Avocado entkernen, das Fruchtfleisch mit einem Löffel herauslösen und in dünne Scheiben schneiden. Apfel entkernen und in feine Scheiben schneiden. Die Pinienkerne ca. 3 Minuten in der Pfanne bei mittlerer bis starker Hitze anrösten.
Avocado- und Apfelscheiben dachziegelartig auf die Brotscheiben schichten. Mit Rettichsprossen, Pinienkernen und Kürbiskernöl toppen und mit Salz und Pfeffer würzen.

AH! Ein herzhafter, leicht süßlich schmeckender Snack, der superschnell zubereitet ist. Er liefert dir wichtige Stoffe, unter anderem das Vitamin E der Avocado, die Vitalstoffe des Apfels und das Protein der Sprossen. Unterwegs einfach Apfel und Avocado unverarbeitet dabeihaben und dann on the spot aufschneiden.

A
B
C

BROTAUFSTRICHE

A. Kichererbsen-Tomaten-Aufstrich

ZUTATEN für 1 Glas (ca. 200 ml)

200 g Kichererbsen (Dose)
80 g Tomatenmark
3 EL Olivenöl
1 TL getrockneter Oregano
1 gestr. TL jodiertes Meersalz
schwarzer Pfeffer aus der Mühle

ZUBEREITUNG 10 Minuten

Kichererbsen abtropfen lassen. In einer Pfanne das Tomatenmark in heißem Olivenöl 3 Minuten anrösten. Kichererbsen, Tomatenmark, Oregano, Meersalz und 50 ml Wasser fein pürieren. Mit Pfeffer abschmecken.

B. Sonnenblumenkern-Kresse-Aufstrich

ZUTATEN für 1 Glas (ca. 150 ml)

150 g Sonnenblumenkerne
1 EL frisch gepresster Zitronensaft
1 gestr. TL jodiertes Meersalz
schwarzer Pfeffer aus der Mühle
1 Beet Kresse

ZUBEREITUNG 5 Minuten

Die Sonnenblumenkerne im Mixer mit 130 ml Wasser, Zitronensaft und Meersalz pürieren. Mit Pfeffer abschmecken. Kresse vom Beet schneiden, fein hacken und unterrühren.

C. Erbsen-Minze-Aufstrich

ZUTATEN für 1 Glas (ca. 300 ml)

250 g TK-Erbsen
jodiertes Meersalz
50 g Pinienkerne
1 rote Zwiebel
7 EL Olivenöl
½ Bund frische Minze
schwarzer Pfeffer aus der Mühle

ZUBEREITUNG 15 Minuten

Erbsen in kochendem Salzwasser 7 Minuten garen. Die Pinienkerne in einer beschichteten Pfanne ohne Fett 3 Minuten anrösten, aus der Pfanne nehmen. Die Zwiebel schälen und fein hacken. 2 EL Olivenöl in einer Pfanne erhitzen und die Zwiebeln darin 3 Minuten andünsten. Die Minze waschen, trocken schütteln und fein hacken. Mit Erbsen, 5 EL Olivenöl und 1 gestr. TL Salz pürieren, pfeffern, anschließend Zwiebeln und geröstete Pinienkerne untermischen.

RICHTIG SATT

ATTILAS SPAGHETTI TOFUBOLOGNESE

ZUTATEN für 2 Personen

250 g Tofu Natur
1 Zwiebel
2 Knoblauchzehen
50 ml Olivenöl
4 EL Tomatenmark
150 ml trockener Rotwein
250 g Hartweizenspaghetti
jodiertes Meersalz
150 g passierte Tomaten
1–2 TL Agavendicksaft (oder Rohrzucker)
1 TL getrockneter Oregano
schwarzer Pfeffer aus der Mühle
1 Bund Basilikum
50 g Pinienkerne
50 g Hefeflocken

AH! Regel Nummer eins für Tofu: gut anbraten, damit die wabbelige Konsistenz verschwindet. Aufgepasst: Bei diesem Rezept ist die richtige Reihenfolge essenziell. Gibt man zuerst Rotwein statt Tomatenmark zum Tofu, wird die Sauce violett und nicht rot!

ZUBEREITUNG ca. 25 Minuten

Tofu mit einer Gabel zerbröseln. **Zwiebel** und **Knoblauch** schälen und fein hacken. **Olivenöl** in einer Pfanne erhitzen und Tofu darin ca. 5 Minuten unter häufigem Rühren anbraten. Zwiebeln zugeben und 2 Minuten braten, danach Knoblauch zugeben und weitere 2 Minuten braten. **Tomatenmark** hinzufügen und 2 Minuten unter Rühren anschwitzen. Mit **Rotwein** ablöschen und 4 Minuten einkochen lassen. **Spaghetti** nach Packungsanweisung in reichlich **Salzwasser** al dente kochen. Inzwischen **passierte Tomaten, Agavendicksaft** und **Oregano** zufügen. Dann 3 Minuten köcheln lassen, mit **Salz** und **Pfeffer** abschmecken. **Basilikum** waschen, trocken schleudern, die Blättchen grob hacken und unter die Sauce rühren. Spaghetti in einem Sieb abtropfen lassen, mit Tofubolognese auf Teller verteilen. **Pinienkerne** 3 Minuten in einer Pfanne anrösten und anschließend ⅔ der Pinienkerne mit **Hefeflocken** und etwas **Meersalz** im Mixer zu einem Pulver zerkleinern. Über die Pasta streuen und mit den restlichen Pinienkernen garnieren.

MOUSSAKA RELOADED MIT TOFUHACK UND CASHEW-PETERSILIEN-CREME

ZUTATEN für 2 Personen

Für die Moussaka
300 g Süßkartoffeln
270 g Auberginen
4 EL Olivenöl
½ TL jodiertes Meersalz
220 g Tofu
1 rote Zwiebel
2 Knoblauchzehen
120 g Tomatenmark
1 TL Agavendicksaft
schwarzer Pfeffer aus der Mühle
30 ml Rotwein

Für die Cashew-Petersilien-Creme
30 g ungesüßtes Cashewmus
1 EL gehackte Petersilie
jodiertes Meersalz
schwarzer Pfeffer aus der Mühle

AH! Tofu eignet sich wunderbar als gesunde, leichte, eiweißreiche Hackalternative. Du musst dich allerdings an die Grundregel Nummer eins halten: ihn mit reichlich Öl ordentlich in der Pfanne anbraten.

ZUBEREITUNG ca. 35 Minuten

Backofen auf 250 °C vorheizen. **Süßkartoffeln** schälen und in dünne Scheiben schneiden. **Auberginen** waschen und in etwa 1 cm dicke Scheiben schneiden. 2 EL **Olivenöl** und ½ TL **Salz** mischen. Süßkartoffeln und Auberginen damit vermengen. Auf ein mit Backpapier belegtes Backblech legen und im Ofen ca. 15 Minuten auf der obersten Schiene backen, bis das Gemüse leicht Farbe annimmt.
Inzwischen den **Tofu** zerbröseln. **Zwiebel** und **Knoblauchzehen** schälen und fein hacken. 2 EL **Olivenöl** in einer Pfanne erhitzen. Tofu darin ca. 4 Minuten anbraten. Zwiebel und Knoblauch dazugeben und weitere 3 Minuten braten. Mit **Tomatenmark** und **Agavendicksaft** 1 Minute weiterbraten, **salzen, pfeffern** und mit **Rotwein** ablöschen. Pfanne vom Herd nehmen.
Für die Creme **Cashewmus** mit 70 ml Wasser in einem kleinen Topf erhitzen. **Petersilie** unterheben, mit **Salz** und **Pfeffer** würzen.
Zum Anrichten Türmchen schichten: dafür abwechselnd 1 Auberginenscheibe, etwas Tofuhack, 1 Süßkartoffelscheibe und etwas Tofuhack stapeln, bis die Zutaten verbraucht sind. Zum Schluss die Cashew-Petersilien-Creme darauf verteilen.

BLUMENKOHL-CURRY-CRUNCH

ZUTATEN für 2 Personen
1,5 kg Blumenkohl
jodiertes Meersalz
30 g geröstete Mandeln
20 g gepopptes Amaranth
4 EL Olivenöl
60 g weißes Mandelmus
1 TL Currypulver
schwarzer Pfeffer aus der Mühle
etwas Basilikum

AH! „Blumenkohl ist nichts weiter als Kohl mit Hochschulbildung", schrieb Mark Twain einmal. Ich interpretiere das so, dass Blumenkohl eben noch viel mehr kann, als nur Kohl zu sein. Und das entspricht auch den neuesten wissenschaftlichen Erkenntnissen, enthält er doch viele Stoffe, denen man eine krebsvorbeugende Wirkung nachsagt, wie Glucosinolate und Sulforaphan. Zudem ist er reich an vielen Vitaminen, Mineralstoffen und Folsäure.

ZUBEREITUNG ca. 15 Minuten
Blumenkohl waschen, ca. 1 kg Röschen vom Strunk schneiden. In einem großen Topf in kochendem **Salzwasser** zugedeckt 6 Minuten garen. In ein Sieb geben und abtropfen lassen.
Mandeln hacken. Mit dem **Amaranth** und 2 EL **Olivenöl** mischen, **salzen.**
Mandelmus mit **Currypulver** und 100 ml Wasser mischen, mit **Salz** und **Pfeffer** abschmecken. Die Masse kurz in einem kleinen Topf erhitzen, eventuell noch etwas Wasser hinzufügen, wenn das Mandelmus zu sehr eindickt.
Den Blumenkohl mit 2 EL **Olivenöl** mischen und auf einen Teller geben. Mit dem Amaranth-Mix bestreuen und die Currysauce darauf verteilen. Mit **Basilikum** garniert servieren.

PASTA CARBONARA

ZUTATEN für 2 Personen
100 g Räuchertofu
250 g Pasta
jodiertes Meersalz
1 Zwiebel
½ Bund frische glatte Petersilie
3 EL Olivenöl
200 ml Soja- oder Hafersahne
1 EL Pflanzenmargarine
schwarzer Pfeffer aus der Mühle

ZUBEREITUNG ca. 15 Minuten
Räuchertofu in kleine Würfel schneiden. Die **Nudeln** nach Packungsanweisung in reichlich kochendem **Salzwasser** al dente garen. Anschließend in ein Sieb gießen. **Zwiebel** schälen und fein hacken. **Petersilie** waschen, trocken schleudern und fein hacken. Tofuwürfel im heißen **Olivenöl** braten, bis sie leicht kross sind, Zwiebelwürfel dazugeben und 3 Minuten weiterbraten. Mit der **Sojasahne** ablöschen, **Margarine** und ⅔ der Petersilie dazugeben, **salzen** und **pfeffern.** Carbonara mit der Pasta mischen. Mit restlicher Petersilie und frischem **Pfeffer** aus der Mühle bestreut servieren.

AH! Eine gute und neutrale Margarine ist für dieses Rezept sehr wichtig. Im Bioladen gibt es Margarine ohne gehärtete Fette, die sehr neutral und manchmal sogar leicht nach Butter schmeckt. Wer keine neutrale Margarine im Haus hat, nimmt lieber Olivenöl. Frischer Pfeffer aus der Mühle ist für dieses Rezept absolut essenziell – bitte auf gar keinen Fall dieses vorgemahlene Schießpulver aus dem Supermarkt nehmen, das verhunzt das Rezept!

GEMÜSELASAGNE MIT TOMATENSAUCE UND MANDELCREME

ZUTATEN für 2 Personen

1 Aubergine (brutto ca. 200 g)
1 Zucchini (brutto 160 g)
½ rote Paprikaschote (brutto ca. 120 g)
1 rote Zwiebel
3 EL Olivenöl
jodiertes Meersalz
schwarzer Pfeffer aus der Mühle
6 Lasagneplatten

Für die Tomatensauce

1 Zwiebel
3 Knoblauchzehen
600 g Tomaten
3 EL Olivenöl
1 TL getrockneter Oregano
40 g Tomatenmark
½ EL Agavendicksaft
jodiertes Meersalz
schwarzer Pfeffer aus der Mühle
1 Bund Basilikum

Für die Mandelcreme

50 g weißes Mandelmus
jodiertes Meersalz
schwarzer Pfeffer aus der Mühle

AH! Du hast hier vier Komponenten: Du brätst das Gemüse an, machst eine schnelle Tomatensauce, bereitest die Mandelcreme zu und schichtest die Platten. Es liest sich kompliziert, aber es ist ein überschaubares Rezept. Mach am besten eine größere Portion. Lasagne kannst du super am nächsten Tag essen und auch gut mitnehmen.

ZUBEREITUNG ca. 35 Minuten plus ca. 60 Minuten Backzeit

Aubergine, Zucchini und **Paprika** waschen. Aubergine in Scheiben und die Scheiben in Viertel schneiden. Zucchini längs halbieren und die Hälften in Scheiben schneiden. Die Paprika entkernen und in 1 cm lange Stücke schneiden. Die **Zwiebel** schälen, vierteln und in grobe Stücke schneiden.

Olivenöl in einer Pfanne erhitzen und das Gemüse darin bei mittlerer bis starker Hitze ca. 5 Minuten anbraten. Mit **Salz** und **Pfeffer** würzen.

Den Backofen auf 220 °C Ober-/Unterhitze (200 °C Umluft) vorheizen.

Für die Tomatensauce **Zwiebel** und **Knoblauch** schälen und beides fein hacken. Die **Tomaten** waschen und in kleine Stücke schneiden. Das **Olivenöl** in einem Topf erhitzen. Die Zwiebeln darin ca. 3 Minuten bei mittlerer Hitze anbraten, dann den Knoblauch dazugeben und weitere 2 Minuten braten. Tomaten und **Oregano** dazugeben und 4 Minuten kochen. Anschließend **Tomatenmark** und **Agavendicksaft** dazugeben, gut umrühren und mit **Salz** und **Pfeffer** abschmecken. **Basilikum** waschen, Blättchen abzupfen, grob hacken und vorsichtig unter die Sauce heben.

Für die Mandelcreme das **Mandelmus** mit 40 ml Wasser vermengen und kräftig mit **Salz** und **Pfeffer** abschmecken.

Etwas Tomatensauce in eine kleine Auflaufform geben, 2 **Nudelplatten** darauflegen, dann Gemüse darauf verteilen und danach etwas Sauce. Wieder 2 **Platten** auflegen und den ganzen Vorgang zweimal wiederholen. Mit Alufolie abdecken und 50 Minuten backen. Aus dem Ofen nehmen, die Mandelcreme gleichmäßig auf der Lasagne verteilen und ca. 10 Minuten weiterbacken, bis die Mandelcreme leicht Farbe annimmt. Etwas abkühlen lassen und servieren.

ZUTATEN für 2 Personen

Für die Tofubuletten

300 g Tofu
2 Zwiebeln
½ Bund glatte Petersilie
50 g Maiskörner
50 g Kidneybohnen
60 g Paniermehl
2 gestr. TL jodiertes Meersalz
2 TL Paprikapulver
2 TL Tomatenmark
1 gestr. TL Johannisbrotkernmehl
schwarzer Pfeffer aus der Mühle
70 ml Pflanzenöl

Für die Salsa

2 Tomaten (ca. 250 g)
200 g Kidneybohnen
2 EL gehackte Korianderblätter
2 EL Tomatenmark
2 EL Olivenöl
½ rote Chilischote
1 EL frisch gepresster Zitronensaft
jodiertes Meersalz
schwarzer Pfeffer aus der Mühle

Für die Guacamole

1 Avocado
1 TL frisch gepresster Zitronensaft
jodiertes Meersalz
schwarzer Pfeffer aus der Mühle

Außerdem

Salat nach Belieben
2 Sesam-Burgerbrötchen
30 g Tortillachips

ZUBEREITUNG ca. 60 Minuten

Für die Burger den **Tofu** mit einer Gabel zerdrücken. **Zwiebeln** schälen. **Petersilie** waschen, trocken schütteln, mit den Zwiebeln im Mixer pürieren. **Mais** und **Kidneybohnen** abbrausen und abtropfen lassen. Alle Zutaten für die Burger, bis auf das Pflanzenöl, 2 Minuten gut durchkneten und zu 3 flachen Burgern (je flacher, desto krosser das Ergebnis) formen. Das **Öl** in einer Pfanne erhitzen und die Burger bei starker Hitze von beiden Seiten 2 Minuten braten. Dann die Temperatur auf mittlere Stufe reduzieren und die Burger von beiden Seiten jeweils weitere 4 Minuten goldbraun braten. Für die Salsa **Tomaten** waschen und in kleine Würfel schneiden. Mit den anderen **Zutaten** für die Salsa mischen. Für die Guacamole die **Avocado** schälen, den Stein entfernen und das Fruchtfleisch im Mixer mit dem **Zitronensaft** pürieren. Mit **Meersalz** und **Pfeffer** würzen. **Salatblätter** waschen, trocken schleudern. **Sesam-Burgerbrötchen** aufschneiden und kurz toasten. Die unteren Brötchenhälften zuerst mit Salat und den Burgern belegen. Salsa, **Tortillachips** und Guacamole daraufgeben und mit den oberen Brötchenhälften abdecken.

AH! Das TV-Magazin „Galileo" stellte mir mal die Aufgabe, einem Football-Team vor laufenden Kameras Tofuburger als Fleischburger unterzujubeln. Johannisbrotkernmehl war die Lösung meines Problems – es verleiht der Masse eine fleischähnliche Konsistenz. Die Footballer hielten tatsächlich meine Tofuburger für konventionelles Fleisch. Es ist eben alles eine Frage der Würze und der Zutaten.

TEX-MEX-BURGER
MIT GUACAMOLE UND SALSA

CHAMPIGNON-BAGUETTE

ZUTATEN für 2 Baguettes

230 g Champignons
1 Zwiebel
½ Bund Petersilie
1 ½ EL Biomargarine (ca. 60 g)
80 g Sojasahne
jodiertes Meersalz
schwarzer Pfeffer aus der Mühle
150 g Baguette (ca. 18 cm lang)
1 EL geriebener veganer Käse (ca. 20 g)
1 Handvoll Basilikumblättchen

ZUBEREITUNG ca. 25 Minuten

Den Backofen auf 220 °C Ober-/Unterhitze (200 °C Umluft) vorheizen. Die **Champignons** putzen und in Scheiben schneiden. Die **Zwiebel** schälen und fein hacken. Die **Petersilie** waschen, trocken schütteln und fein hacken.

Die **Margarine** in einer Pfanne erhitzen und die Zwiebeln darin 2 Minuten bei mittlerer Hitze anschwitzen. Die Champignons hinzufügen und alles weitere 3 Minuten braten. **Sojasahne** und Petersilie unterrühren, dann die Pfanne vom Herd nehmen. Champignons mit **Salz** und **Pfeffer** abschmecken.

Das **Baguette** halbieren, auf beide Hälften die Champignonmischung geben und mit veganem **Käse** toppen.

Im Backofen 10–12 Minuten backen, bis der Käse geschmolzen und das Baguette kross ist. Die **Basilikumblättchen** waschen, in Streifen schneiden und auf die Baguettes streuen.

AH! So einfach, würzig und lecker und viel besser als die Produkte aus der Supermarkt-Kühltruhe. Hier weißt du, was drin ist – und das ist gut so!

AUBERGINENTANKER „ITALIAN SUN"

ZUTATEN für 2 Personen

1 Aubergine
1 EL Olivenöl
jodiertes Meersalz

Für die Füllung

1 ½ rote Zwiebeln (brutto 140 g)
2 Knoblauchzehen
1–2 EL Olivenöl
200 g rote Paprikaschote
30 g getrocknete Tomaten in Öl (abgetropft)
130 g gekochte Kichererbsen (Abtropfgewicht; Dose)
1 geh. TL Tomatenmark
½ TL Kurkuma
1 TL getrockneter Oregano
½ TL getrockneter Thymian
jodiertes Meersalz
schwarzer Pfeffer aus der Mühle
½ Bund Basilikum
1 EL dunkles Mandelmus
120 g Brokkoliröschen

Für die Creme

70 g weißes Mandelmus
60 ml stilles Mineralwasser
jodiertes Meersalz
schwarzer Pfeffer aus der Mühle

ZUBEREITUNG ca. 40 Minuten

Backofen auf 200 °C Umluft vorheizen. Die **Aubergine** waschen, längs halbieren und mit einem Löffel aushöhlen. Das Fruchtfleisch fein hacken. Die ausgehöhlten Auberginen innen und außen mit **Olivenöl** bestreichen und innen leicht mit **Salz** bestreuen. Dann auf einem mit Backpapier belegten Backblech auf der mittleren Schiene 12 Minuten backen.

In der Zwischenzeit **Zwiebeln** und **Knoblauch** schälen und fein hacken. **Olivenöl** in einer Pfanne erhitzen und die Zwiebeln darin ca. 3 Minuten glasig andünsten. Dann Knoblauch dazugeben und 2 Minuten dünsten. **Paprika** waschen, entkernen und fein hacken. Auberginenfruchtfleisch und Paprika ebenfalls in die Pfanne geben und bei mittlerer Hitze 3 Minuten anbraten. Die **getrockneten Tomaten** fein hacken und in die Pfanne geben. Dann **Kichererbsen, Tomatenmark, Kurkuma, Oregano** und **Thymian** hinzufügen und mit **Salz** und **Pfeffer** würzen. **Basilikum** waschen, trocken schütteln und fein hacken. Mit dem **Mandelmus** in die Pfanne geben und alles gut miteinander vermengen.

Brokkoliröschen ca. 3 Minuten in leicht **gesalzenem** Wasser blanchieren, abgießen und abtropfen lassen.

Für die Creme das **Mandelmus** mit dem **Mineralwasser** vermischen, mit **Salz** und **Pfeffer** würzen und in einem kleinen Topf kurz unter Umrühren aufkochen lassen.

Die heißen Auberginenschiffchen mit dem Pfanneninhalt füllen, den Brokkoli darauf verteilen und mit der Mandelcreme toppen.

ROTE UND GRÜNE KARTOFFELPUFFER MIT PAPRIKADIP

ZUTATEN für 4 Personen

Für den Paprikadip
400 g Sojajoghurt
1 rote Paprikaschote
1 TL Paprikapulver
2 EL Olivenöl
jodiertes Meersalz
schwarzer Pfeffer aus der Mühle

Für die Kartoffelpuffer
1 kg festkochende Kartoffeln
3 TL Kartoffelmehl
jodiertes Meersalz
weißer Pfeffer aus der Mühle
1 rote Zwiebel
1 weiße Zwiebel
30 g getrocknete Tomaten ohne Öl
½ Bund Basilikum
(alternativ glatte Petersilie)
mildes Rapsöl

ZUBEREITUNG ca. 35 Minuten

Für den Dip **Sojajoghurt** mit einem Schneebesen schaumig schlagen. **Paprikaschote** waschen, putzen und fein hacken. Mit den übrigen **Zutaten** unter den Sojajoghurt mischen und mit **Meersalz** und **Pfeffer** abschmecken. Für die Puffer die **Kartoffeln** schälen und auf einer Küchenreibe grob reiben. Mit **Kartoffelmehl** mischen, **salzen** und **pfeffern. Zwiebeln** schälen. Rote Zwiebel halbieren und in dünne Scheiben schneiden, weiße Zwiebel fein hacken. Die **getrockneten Tomaten** fein hacken. **Basilikum** waschen, trocken schleudern und fein hacken. Kartoffelmasse in 2 gleich große Portionen teilen. Für die roten Puffer getrocknete Tomaten und rote Zwiebel untermischen. Für die grünen Puffer weiße Zwiebel und Basilikum unterheben. **Rapsöl** in einer Pfanne erhitzen und mit einem Esslöffel die Masse portionsweise in das Öl geben, flach drücken und die Puffer auf jeder Seite etwa 5 Minuten anbraten.

AH! Die Puffer am besten auf Küchenpapier abtropfen lassen. Dann sind sie leichter bekömmlich und noch etwas krosser!

DÖNER

ZUTATEN für 2 Personen

Für den Döner

200 g Seitan
50 ml Olivenöl
2 TL Grill- und Pfannengewürz
jodiertes Meersalz
½ Fladenbrot
¼ Lollo-bionda-Salat
100 g Rotkohl
1 Zwiebel
1 Tomate
¼ Gurke

Für die Sauce

100 g Sojajoghurt
1 TL Currypulver
1 TL Paprikapulver
2 TL Tomatenmark
2 EL vegane Mayonnaise
1 EL Agavendicksaft
1 EL frisch gepresster Zitronensaft
jodiertes Meersalz

ZUBEREITUNG ca. 15 Minuten plus ca. 10 Minuten Backzeit

Den Backofen auf 200 °C Ober-/Unterhitze vorheizen. **Seitan** in hauchdünne, ca. 3 cm lange Scheiben schneiden. **Olivenöl** in einer Pfanne erhitzen und Seitan etwa 3 Minuten darin von beiden Seiten anbraten. Nicht zu lange braten, da Seitan schnell zu hart wird. Mit **Grill- und Pfannengewürz** und **Meersalz** abschmecken. **Fladenbrot** im heißen Backofen 10 Minuten knusprig backen. Inzwischen **Lollo-bionda-Salat** waschen, trocken schleudern und zerzupfen. **Rotkohl** waschen und in feine Streifen hobeln. **Zwiebel** schälen und in hauchdünne Ringe schneiden. **Tomate** waschen, **Gurke** schälen, beides in feine Scheiben schneiden. Alle **Zutaten** für die Sauce mischen. Fladenbrot halbieren, waagerecht aufschneiden und auf den Innenseiten mit etwas Sauce bestreichen. Einige Salatblätter auf die unteren Fladenbrothälften legen, dann den Rotkohl, Seitan, Tomaten- und Gurkenscheiben sowie Zwiebelringe darauflegen. Die restliche Sauce darüberträufeln und das Fladenbrot zuklappen.

AH! Seitan ist ein beliebter Fleischersatz mit einer angenehmen Konsistenz. Es wird aus dem Eiweiß des Weizens hergestellt und stammt aus dem asiatischen Raum, wo es von vegetarisch lebenden Mönchen entwickelt wurde. Für diesen Döner ist es wirklich wie gemacht!

ROTE BRATKARTOFFELN

ZUTATEN für 2 Personen
800 g gekochte Kartoffeln (vom Vortag)
2 weiße Zwiebeln
1 Knoblauchzehe
8 getrocknete Tomaten ohne Öl
6 EL Olivenöl
60 g Pinienkerne
4 TL Tomatenmark (60 g)
2 TL Agavendicksaft
jodiertes Meersalz
schwarzer Pfeffer aus der Mühle
½ Bund frisches Basilikum

ZUBEREITUNG ca. 20 Minuten
Die kalten **Kartoffeln** in 3–5 mm dicke Scheiben schneiden. **Zwiebeln** und **Knoblauch** schälen und in Scheiben schneiden. **Getrocknete Tomaten** in feine Streifen schneiden. **Olivenöl** in einer großen Pfanne erhitzen und Kartoffeln bei starker Hitze 4 Minuten braten, wenden und weitere 4 Minuten braten. Zwiebeln, Knoblauch, Tomaten und die **Pinienkerne** zugeben und 2 Minuten mitbraten. **Tomatenmark** und **Agavendicksaft** hinzufügen und 1 Minute braten, **salzen** und **pfeffern**. Sehr gut durchmischen, bis sich das Tomatenmark verteilt hat. Inzwischen **Basilikum** waschen, trocken schütteln, fein hacken. Bratkartoffeln damit bestreuen und servieren.

AH! Wenn ich Kartoffeln vom Vorabend nehme, stelle ich sie über Nacht ungern in den Kühlschrank und lasse sie lieber draußen stehen, weil sie sonst einen komischen Beigeschmack annehmen. Mit frisch gekochten Kartoffeln geht das Rezept natürlich auch, aber man muss die Abkühlzeit mitrechnen, denn heiße Kartoffeln zu pellen, macht nicht viel Spaß.

KÜRBISPOMMES MIT 2 DIPS

AH! Die Pommes nicht zu dick schneiden und kurz bevor sie anbrennen, aus dem Ofen nehmen, dann werden sie schön kross.

ZUTATEN für 2 Personen

Für die Kürbispommes

750 g Hokkaido-Kürbis
1 gestr. TL frisch gehackte Rosmarinnadeln
3 EL Olivenöl
½ TL Paprikapulver
1 gestr. TL Grill- und Pfannengewürz
1 gestr. TL jodiertes Meersalz

Für den Erbsen-Joghurt-Dip

200 g TK-Erbsen
jodiertes Meersalz
1 rote Zwiebel
1 EL Olivenöl
1 TL Currypulver
abgeriebene Schale von ½ Biozitrone
150 g Sojajoghurt Natur

Für den Basilikum-Ketchup

1 weiße Zwiebel
1 Knoblauchzehe
350 g Kirschtomaten
½ Bund Basilikum
2 getrocknete Tomaten in Öl
3 EL Olivenöl
2 EL Weißweinessig
2 gehäufte EL Tomatenmark
1 gestr. TL jodiertes Meersalz
1 EL Agavendicksaft

ZUBEREITUNG ca. 25 Minuten

Den Backofen auf 250 °C vorheizen.
Kürbis waschen, halbieren, mit einem Esslöffel die Kerne herauslösen. Kürbis vierteln und mit einem scharfen Messer zu Pommes schneiden. Kürbis mit den anderen **Zutaten** mischen, auf ein mit Backpapier belegtes Backblech legen und gleichmäßig darauf verteilen. Im Backofen auf der obersten Schiene ca. 15–17 Minuten backen, bis die Pommes leicht gebräunt sind. Die Hokkaido-Pommes in Brotpapiertüten mit Dip servieren.

ZUBEREITUNG JE DIP ca. 15 Minuten

Erbsen-Joghurt-Dip

Für den Erbsen-Joghurt-Dip die **Erbsen** in kochendem **Salzwasser** ca. 3 Minuten garen, abtropfen lassen. Die **Zwiebel** schälen und fein hacken. In einer Pfanne **Olivenöl** erhitzen, Zwiebel mit **Currypulver** darin 3 Minuten anbraten. ¾ der Erbsen mit der **Zitronenschale** in einem schmalen, hohen Gefäß grob pürieren. **Sojajoghurt,** restliche Erbsen und Curry-Zwiebeln unterrühren und **salzen.**

Basilikum-Ketchup

Für den Ketchup **Zwiebel** und **Knoblauch** schälen und fein hacken. **Kirschtomaten** waschen und halbieren. **Basilikum** waschen, trocken schütteln, Blätter fein schneiden. **Getrocknete Tomaten** etwas abtropfen lassen und fein hacken. Das **Olivenöl** in einer Pfanne erhitzen. Zwiebel und Knoblauch darin ca. 3 Minuten dünsten. Kirschtomaten hinzufügen und ca. 6 Minuten unter Rühren kochen lassen. Dann vom Herd nehmen, mit **Essig, Tomatenmark, Salz** und **Agavendicksaft** pürieren und eventuell nachwürzen. Basilikum und getrocknete Tomaten unterheben und kühl stellen.

CHILI MIT AVOCADO-JOGHURT-TOPPING

ZUTATEN für 2 Personen

Für das Chili

170 g Kidneybohnen
130 g Maiskörner
200 g Tofu Natur
2 Zwiebeln
50 ml Olivenöl
200 g Tomatenmark
3 EL Agavendicksaft
330 ml passierte Tomaten
1 EL getrockneter Oregano
½ TL Kreuzkümmel
½ TL Chilipulver
schwarzer Pfeffer aus der Mühle
jodiertes Meersalz

Für den Avocadojoghurt

1 Avocado
250 g Sojajoghurt
Schale und Saft von ½ Biozitrone
jodiertes Meersalz
schwarzer Pfeffer aus der Mühle

Außerdem

1 Frühlingszwiebel
Tortillachips

ZUBEREITUNG ca. 30 Minuten

Kidneybohnen und **Mais** abspülen und kurz abtropfen lassen. **Tofu** mit einer Gabel zerbröseln. **Zwiebeln** schälen und grob hacken. **Olivenöl** in einer Pfanne erhitzen. Tofu darin ca. 5 Minuten anbraten. Die Zwiebeln zugeben und 5 Minuten weiterbraten. **Tomatenmark** und **Agavendicksaft** hinzufügen, kurz karamellisieren lassen. **Passierte Tomaten,** Kidneybohnen, Mais, **Oregano, Kreuzkümmel, Chilipulver** und **Pfeffer** dazugeben, weitere 2 Minuten kochen und **salzen.** Für den Avocadojoghurt die **Avocado** halbieren, den Stein entfernen und das Fruchtfleisch aus der Schale lösen. Avocado mit **Sojajoghurt** pürieren. **Zitronenschale** und **-saft** zugeben, **salzen** und **pfeffern. Frühlingszwiebel** waschen und in Ringe schneiden. Das Chili in Schalen füllen und mit je 2 EL Avocadojoghurt toppen. Mit **Tortillachips** und Frühlingszwiebeln garniert servieren. Dazu passt Reis oder krosses Baguette.

AH! Chili sin Carne eignet sich wunderbar für Partys. Eine gute Würzung ist sehr wichtig, die Schärfe sollte individuell angepasst werden. Ich mache auf Partys einen großen Topf mittelscharf und einen kleinen Topf für die ganz Harten – wer davon probiert, läuft rot an! Das gibt den Fun-Faktor auf Partys!

SAFTIGE SEITANBULETTEN MIT CASHEW-SENF-DIP

ZUTATEN für 5–6 Buletten

2 große Zwiebeln (brutto ca. 240 g)
40 g Champignons (1–2 mittelgroße)
2 getrocknete Tomaten in Öl (abgetropft)
2 ½ EL Biomargarine
jodiertes Meersalz
schwarzer Pfeffer aus der Mühle
200 g Seitan (fertig gekocht)
40 g Senf
1 TL Johannisbrotkernmehl (13 g)
2 EL gehackte Petersilie
½ TL getrockneter Majoran
1 TL Paprikapulver (edelsüß oder rosenscharf)
50 g feine Semmelbrösel (Paniermehl)
2 Rosmarinzweige

Für den Cashew-Senf-Dip

1 Handvoll frische Petersilienblättchen
110 g mittelscharfer Senf
70 g Cashewmus
30 g Reissirup
jodiertes Meersalz
schwarzer Pfeffer aus der Mühle

Zum Servieren

ein paar Vollkornbrotscheiben
Biomargarine
1 EL Schnittlauchröllchen
ein paar Radieschen

ZUBEREITUNG ca. 40 Minuten

Zwiebeln schälen und fein hacken. **Champignons** putzen und fein hacken. **Getrocknete Tomaten** ebenfalls fein hacken.

1 EL **Margarine** in einer Pfanne erhitzen und die Zwiebeln darin 4 Minuten bei mittlerer Hitze anbraten. Die Champignons dazugeben und weitere 5 Minuten braten, mit **Salz** und **Pfeffer** würzen.

Den **Seitan** durch den Fleischwolf drehen oder mit einem Mixer fein zerkleinern. Mit **Senf, Johannisbrotkernmehl, Petersilie, Majoran, Paprika,** 70 ml Wasser, **Semmelbröseln,** Tomaten, Champignons und Zwiebeln in eine Schüssel geben, gut durchmixen und kräftig mit **Salz** und **Pfeffer** würzen. Anschließend mit den Händen kräftig durchkneten und 5–6 Buletten formen.

Die restliche **Margarine** in einer Pfanne bei mittlerer Hitze erhitzen und die Buletten mit den **Rosmarinzweigen** auf jeder Seite ca. 4 Minuten anbraten, dann auf einem mit Küchenpapier ausgelegten Teller abkühlen lassen.

Für den Dip die **Petersilie** waschen, trocken tupfen und fein hacken. **Senf** mit **Cashewmus** und **Reissirup** cremig rühren. Petersilie unterheben und mit **Salz** und **Pfeffer** abschmecken.

Dazu **Margarinebrot** mit **Schnittlauch** und **Radieschen** servieren.

AH! Diese Buletten werden viele fleischfressende Pflanzen geschmacklich überzeugen. Achte darauf, dass du den Teig richtig gut durchknetest, dann halten die Buletten auch in der Pfanne zusammen. Lass sie nach dem Braten für eine festere Textur noch etwas abkühlen.

SCHNELLER FLAMMKUCHEN MIT CASHEWCREME, TOFU UND ROTEN ZWIEBELN

ZUTATEN für 1 Blech (26 × 40 cm; 6 Stücke)

90 g Räuchertofu
2 EL Olivenöl
jodiertes Meersalz
schwarzer Pfeffer aus der Mühle
1 rote Zwiebel
100 g Cashewmus
1 TL frisch gepresster Zitronensaft
1 Packung Bioblätterteig (320 g; Kühlregal)
½ Bund Schnittlauch

ZUBEREITUNG ca. 15 Minuten plus ca. 15 Minuten Backzeit

Den Backofen auf 230 °C Ober-/Unterhitze (210 °C Umluft) vorheizen. Den **Räuchertofu** in kleine Würfel schneiden. Das **Olivenöl** in einer Pfanne erhitzen, den Tofu darin von allen Seiten 3 Minuten kross anbraten und mit **Salz** und **Pfeffer** würzen. Die **Zwiebel** schälen und in feine Ringe schneiden. Das **Cashewmus** mit 70 ml Wasser und **Zitronensaft** vermengen und mit **Salz** und **Pfeffer** würzen.

Den **Blätterteig** auf ein mit Backpapier ausgelegtes Backblech legen. Die Cashewcreme darauf verstreichen, dann Tofu und Zwiebeln darüber verteilen und im Ofen auf der mittleren Schiene 15 Minuten backen.

Schnittlauch waschen, trocken schütteln und in feine Ringe schneiden. Den Flammkuchen damit bestreuen.

AH! Statt wie im Originalrezept mit einem Hefeteig zu arbeiten, machen wir es uns einfach und nehmen veganen Blätterteig – der ist beim Biodealer mit „vegan“ gelabelt. Am besten ist der Blätterteig, der von Haus aus etwa die Größe vom Backblech hat. Er wird meistens als Rolle verkauft. Findest du ihn nicht, nimm die kleineren Blätterteigstücke und lege sie nebeneinander.

ROBERT KLAAS
SOLINGEN
ROSTFREI

GEMÜSE-KOKOS-CURRY MIT BASMATIREIS

ZUTATEN für 2 Personen
150 g Basmatireis
jodiertes Meersalz
1 Möhre
150 g Zuckerschoten
1 rote Chilischote
80 g Mungobohnensprossen
3 EL mildes Rapsöl
1–2 EL Sojasauce
1 Zwiebel
1 Knoblauchzehe
1 cm frischer Ingwer
1 TL Currypulver
250 ml Kokosmilch
1 TL Agavendicksaft
¼ Bund Koriandergrün

AH! Ein asiatisch angehauchtes Reis-Gemüse-Gericht – leicht, etwas scharf und lecker! Wichtig: Nicht jedem schmeckt Koriander. Wenn man ihn allerdings sparsam dosiert, ist er sehr lecker. Alternativ geht auch Petersilie.

ZUBEREITUNG ca. 30 Minuten
Den **Basmatireis** nach Packungsanweisung in leicht **gesalzenem** Wasser kochen. Inzwischen die **Möhre** schälen und in dünne Stifte schneiden. **Zuckerschoten** waschen und in kochendem **Salzwasser** blanchieren. Die **Chili** waschen, entkernen und in dünne Ringe schneiden. **Mungobohnensprossen** waschen und abtropfen lassen. 2 EL **Rapsöl** in einer Pfanne oder in einem Wok erhitzen und das Gemüse bei starker Hitze 3 Minuten anbraten. Die **Sojasauce** dazugießen, Pfanne bzw. Wok vom Herd nehmen. Für die Sauce **Zwiebel, Knoblauch** und **Ingwer** schälen und fein hacken. 1 EL **Rapsöl** in einer Pfanne erhitzen, Zwiebeln, Knoblauch und Ingwer mit **Currypulver** 2 Minuten anbraten. **Kokosmilch** und **Agavendicksaft** dazugießen, 2 Minuten weiterkochen und mit **Meersalz** abschmecken. **Koriander** waschen, trocken schütteln, Blättchen fein hacken und unter den Reis heben. Den Reis auf Tellern mit Gemüse und Sauce anrichten und servieren.

TRUSTED

SNACKS UND DRINKS

KÜRBISSALAT TO GO

ZUTATEN für 2 Personen

Für den Kürbissalat

1 kg Hokkaido-Kürbis (brutto)
150 g Kirschtomaten
160 g Brokkoliröschen
jodiertes Meersalz
150 g gekochte Kichererbsen (Abtropfgewicht; Dose)
30 g getrocknete Tomaten in Öl (abgetropft)
30 g Pinienkerne

Für das Dressing

1 TL Zitronensaft
1 EL Leinöl
1 EL Olivenöl
1 ½ EL gehacktes Basilikum
jodiertes Meersalz
schwarzer Pfeffer aus der Mühle

ZUBEREITUNG ca. 35 Minuten

Backofen auf 180 °C Umluft vorheizen. Kürbis waschen, halbieren, entkernen und in ca. 1 cm große Würfel schneiden. Ein Backblech mit Backpapier auslegen, die Kürbiswürfel ohne Öl darauf verteilen und etwa 17 Minuten backen. In der Zwischenzeit Kirschtomaten waschen, trocken tupfen und halbieren. Brokkoliröschen in leicht gesalzenem, kochendem Wasser ca. 3 Minuten bissfest garen. Die Kichererbsen in einem Sieb waschen und abtropfen lassen. Getrocknete Tomaten klein hacken. Eine Pfanne erhitzen und die Pinienkerne darin ohne Öl ca. 2 Minuten anrösten.

Für das Dressing alle Zutaten vermengen und mit Salz und Pfeffer kräftig abschmecken. Gebackenen Kürbis, frische und getrocknete Tomaten, Kichererbsen und Brokkoli in eine Schüssel geben, dann das Dressing darübergeben und alles vermengen. Zum Schluss die gerösteten Pinienkerne über dem Salat verteilen.

AH! Wunderbar für unterwegs – das habe ich mehrfach erprobt. Am besten bereitest du den Salat am Vortag zu, dem Kürbis macht das nichts aus. Ein Zeitsparfaktor ist, dass du den Hokkaido-Kürbis nicht schälen musst. Preiswert, reich an den Carotinoiden Lutein und Zeaxanthin und arm an Kalorien ist Kürbis ein Alleskönner. Ich bekomme ihn das ganze Jahr über bei meinem Biodealer!

CAESAR SALAD MIT CASHEW-DRESSING UND OREGANO-CROÛTONS

ZUTATEN für 2 Personen

220 g Romanasalat (2–3 Salatherzen)

Für das Cashew-Dressing

70 g Cashewmus
30 ml Weißweinessig
1 EL frisch gepresster Zitronensaft
etwas abgeriebene Schale von
1 Biozitrone
3 EL Olivenöl
1 TL Agavendicksaft
jodiertes Meersalz
schwarzer Pfeffer aus der Mühle

Für die Oregano-Croûtons

1 ½ Scheiben Ciabatta (ca. 60 g)
1 EL Olivenöl
½ TL getrockneter Oregano
jodiertes Meersalz

Für den Bacon

60 g Räuchertofu
2 EL Olivenöl
jodiertes Meersalz
schwarzer Pfeffer aus der Mühle

Für den Cashew-Parmesan

40 g Cashewkerne
6 g Hefeflocken
¼ TL jodiertes Meersalz

ZUBEREITUNG ca. 30 Minuten

Den Backofen auf 220 °C Ober-/Unterhitze (200 °C Umluft) vorheizen.

Für das Cashew-Dressing alle Zutaten mit 4 EL (30 ml) Wasser in einer Schüssel mit einem Schneebesen oder Löffel cremig rühren und mit Salz und Pfeffer abschmecken.

Für die Croûtons das Brot in Würfel schneiden, in einer Schüssel mit Olivenöl, Oregano und etwas Salz vermengen und im Backofen auf einem mit Backpapier belegten Blech 15 Minuten backen.

Den Räuchertofu in kleine Würfel schneiden. Das Öl in einer Pfanne erhitzen und den Tofu darin ca. 4 Minuten kross anbraten. Mit Salz und Pfeffer würzen.

Für den Cashew-Parmesan die Cashewkerne mit Hefeflocken und Salz im Mixer zu einem Pulver mahlen.

Die Salatblätter abzupfen, waschen, in Streifen schneiden und trocken schleudern.

Den Salat nach Geschmack mit Dressing vermengen, auf Teller verteilen und nach Belieben mit Croûtons, Räuchertofuwürfeln und etwas Cashew-Parmesan toppen.

AH! Ich wünschte, ich würde solche Salate unterwegs bekommen. Doch hier ist leider oft noch Fehlanzeige. Stattdessen gibt es die Essig-Öl-Nummer – sehr traurig, auch für das Salatblatt!

QUINOA-SALAT TO GO

ZUTATEN für 2 Personen

Für den Quinoa-Salat

200 g Quinoa
jodiertes Meersalz
1 Brokkoli
3 Möhren
90 g TK-Erbsen
2 Frühlingszwiebeln
1 rote Chilischote
3 EL Olivenöl
1 EL frisch gehackte Minze
2 TL Limettensaft
abgeriebene Schale von ½ Bio-Limette
schwarzer Pfeffer aus der Mühle

Für die Curry-Sonnenblumenkerne

30 g Sonnenblumenkerne
½ TL Currypulver
1 EL Olivenöl
½ TL Agavendicksaft
jodiertes Meersalz

AH! Nimm separate Dosen: die eine für den Salat, die andere für die gerösteten Kerne, da sie sonst matschig werden. Aber keine Frage: Der Salat ist knackig-frisch und lässt die Kollegen vor Neid erblassen!

ZUBEREITUNG ca. 25 Minuten

Quinoa in einem Sieb kurz abspülen und dann mit 530 ml Wasser und ca. ½ TL Meersalz bei großer Hitze ca. 17 Minuten offen kochen, bis die Flüssigkeit verkocht ist.

Brokkoli waschen und ca. 180 g Röschen vom Strunk schneiden. Die Möhren schälen und in feine Streifen schneiden. In einem großen Topf Salzwasser erhitzen und die Erbsen 2 Minuten darin kochen. Brokkoli und Möhren dazugeben, weitere 2 Minuten kochen. Dann alles in einem Sieb abtropfen lassen. Die Frühlingszwiebeln und die Chilischote waschen, putzen und in feine Ringe schneiden.

2 EL Olivenöl mit der Minze, Limettensaft und -schale zu einem Dressing mischen, dann nach Geschmack salzen und pfeffern.

1 EL Olivenöl in einer Pfanne erhitzen. Das vorgegarte Gemüse darin ca. 2 Minuten anbraten. Gemüse, Frühlingszwiebeln, Chili und Quinoa in einer großen Schüssel vermengen. Dressing unterheben, salzen, pfeffern und eventuell mit einem Schuss Olivenöl abschmecken.

Sonnenblumenkerne mit Currypulver und 1 EL Olivenöl in einer kleinen Pfanne ca. 2 Minuten bei starker Hitze anrösten. Den Agavendicksaft dazugeben, vom Herd nehmen und salzen. Dann auf Tellern und mit Sonnenblumenkernen bestreut servieren.

KARTOFFELSALAT MIT RÄUCHERTOFU, KIRSCHTOMATEN UND SENFDRESSING

ZUTATEN für 2 Personen

1,2 kg festkochende Kartoffeln
jodiertes Meersalz
140 g Räuchertofu
1 rote Zwiebel
40 g Biomargarine
schwarzer Pfeffer aus der Mühle
3 Frühlingszwiebeln (brutto ca. 70 g)
110 g Kirschtomaten
1 EL Schnittlauchröllchen
1 EL gehackte Petersilie
etwas Kresse für die Deko

Für das Senfdressing

270 ml Gemüsebrühe
40 g mittelscharfer Senf
1 EL Apfelsüße (alternativ Agavendicksaft)
3 EL Weißweinessig
40 g Biomargarine

AH! Um Zeit zu sparen, nimm Kartoffeln vom Vortag. Würzigen Räuchertofu gibt's beim Biodealer. Beim Anbraten bekommt er eine leichte Specknote. Der Salat schmeckt am besten, wenn er eine Stunde durchgezogen ist.

ZUBEREITUNG ca. 40 Minuten mit gekochten und ca. 60 Minuten mit ungekochten Kartoffeln

Die Kartoffeln 25–30 Minuten in Salzwasser weich kochen. Anschließend in einem Sieb kurz mit kaltem Wasser abschrecken, abkühlen lassen und pellen.

Den Räuchertofu in kleine Würfel schneiden. Die Zwiebel schälen und fein hacken. Die Margarine in einer Pfanne erhitzen. Räuchertofu darin bei starker Hitze 3 Minuten anbraten. Die Zwiebeln dazugeben und weitere 2 Minuten bei mittlerer Hitze braten. Dann mit Salz und Pfeffer würzen.

Für das Dressing Gemüsebrühe, Senf, Apfelsüße, Essig und Margarine in einem Topf leicht erwärmen, sodass die Margarine schmilzt.

Die Frühlingszwiebeln waschen und in feine Streifen schneiden. Kirschtomaten waschen und halbieren. Gekochte Kartoffeln in Scheiben schneiden, mit dem Senfdressing vermengen und 3 Minuten ruhen lassen. Tomaten, Tofu, Zwiebeln, Frühlingszwiebeln und Kräuter dazugeben und noch einmal mit Salz und Pfeffer abschmecken. Mit der Kresse dekorieren.

DIPS

A. GUACAMOLE

ZUTATEN für 2 Personen

3 Avocados (brutto ca. 800 g)
3 EL frisch gepresster Limettensaft
jodiertes Meersalz
schwarzer Pfeffer aus der Mühle
100 g Tortillachips

ZUBEREITUNG ca. 10 Minuten

Die Avocados halbieren, den Kern entfernen und das Fruchtfleisch mit einem Löffel in einen Mixer löffeln. Limettensaft dazugeben. Alles pürieren und mit Salz und Pfeffer abschmecken. Die Tortillachips zum Dippen mit der Guacamole servieren.

B. ATTILAS HUMMUS

ZUTATEN für 2 Personen

350 g gekochte Kichererbsen (Glas oder Dose; Abtropfgewicht)
70 g dunkles Tahin (Mus aus ungeschältem Sesam)
3 EL frisch gepresster Zitronensaft
1 ½ TL gemahlener Kreuzkümmel
¼ TL Zimt
¼ TL gemahlenes Kurkuma
1 ½ EL Olivenöl
jodiertes Meersalz
schwarzer Pfeffer aus der Mühle

Außerdem

½ Handvoll Petersilienblättchen
1–2 TL edelsüßes Paprikapulver zum Bestreuen
3 EL Olivenöl zum Beträufeln
Gemüse und Pitabrot zum Dippen

ZUBEREITUNG ca. 10 Minuten

Die Kichererbsen in ein Sieb geben, waschen und abtropfen lassen. Alle Zutaten mit 60 ml Wasser im Mixer oder mit dem Pürierstab zu einer cremigen Masse pürieren. Mit Salz und Pfeffer abschmecken.
Hummus in eine Schüssel geben. Petersilienblättchen waschen und trocken tupfen. Hummus mit Paprikapulver, den Petersilienblättchen und Olivenöl garnieren. Gemüsesticks (z. B. Möhren, Staudensellerie, Rote Bete, Paprika) und Pitabrot dazu servieren.

AH! Hummus ist super für Sandwiches oder zum Dippen mit backfrischem Brot oder Gemüsesticks. Mache den Hummus fertig, kaufe unterwegs ein paar knackige Möhren oder Selleriestangen oder etwas Brot und du kannst wunderbar überleben.

A

B

EIERSALAT-BROTE

ZUTATEN für 4–5 Brotscheiben

240 g Tofu Natur
60 g Essiggurken (abgetropft)
½ Bund Schnittlauch
4–5 Scheiben Vollkornbrot

Für die Mayo

180 ml ungesüßte Sojamilch
100 ml Öl
1 TL Johannisbrotkernmehl
½ EL Essig
1 TL Senf
1 TL gemahlenes Kurkuma
jodiertes Meersalz
schwarzer Pfeffer aus der Mühle
1 Prise Kala Namak

AH! Ich gehe fast jede Wette ein, dass niemand einen Unterschied zu echtem Eiersalat schmecken wird. Der Vorteil bei meinem: kein Cholesterin, keine gesättigten Fettsäuren, dafür viel Eiweiß und ein leichter Genuss. Das Schwefelsalz Kala Namak findest du beim Biodealer. Eier schmecken vor allem nach Schwefel, das kann man durch dieses Salz auch ohne Tierhaltung hinbekommen.

ZUBEREITUNG ca. 15 Minuten

Den Tofu abtropfen lassen, mit etwas Küchenpapier abtupfen und in 0,5 cm große Würfel schneiden. Die Essiggurken fein hacken.
Für die Mayonnaise Sojamilch, Öl, Johannisbrotkernmehl, Essig, Senf und Kurkuma in einen Mixer geben und ca. 2 Minuten pürieren, bis eine cremige Masse entstanden ist. Mit Salz und Pfeffer abschmecken.
Tofu, Mayo und Essiggurken in einer Schüssel vermengen, nun nach Geschmack Kala Namak dazugeben – je nachdem, wie stark es nach Ei schmecken soll (1 Prise bis 1 Messerspitze reicht für gewöhnlich).
Schnittlauch waschen, trocken schütteln und in feine Röllchen schneiden.
Den Eiersalat auf die Brote geben und mit Schnittlauch garnieren.

BAGUETTE „RELAX“ MIT HUMMUS, GEBRATENER AUBERGINE UND PESTO

ZUTATEN für 2 Personen

Für das Hummus

240 g gekochte Kichererbsen (Glas oder Dose; Abtropfgewicht)
½ Biozitrone
50 g dunkles Tahin (Mus aus ungeschältem Sesam)
jodiertes Meersalz
schwarzer Pfeffer aus der Mühle

Für die Baguettes

½ Aubergine
1 Tomate
2 ½ EL Olivenöl
jodiertes Meersalz
schwarzer Pfeffer aus der Mühle
80 g Rotkohl (brutto)
1 Spritzer frisch gepresster Zitronensaft
2 kurze Baguettes (15 cm lang) oder 1 langes Baguette (30 cm lang)
20 g Kartoffelchips
2 EL Pesto

AH! Ein Fest für die Sinne – das ist ein richtiges Wohlfühlsandwich! Kürze die Kochzeit ab, indem du vorbereiteten Hummus oder ein gekauftes Produkt verwendest. Das gilt auch fürs Pesto.

ZUBEREITUNG ca. 25 Minuten

Für das Hummus die Kichererbsen in einem Sieb waschen und abtropfen lassen. Ein Viertel der Schale der Zitrone abreiben und 1 EL Saft auspressen. Kichererbsen, Zitronensaft und -schale, Tahin und 4 EL Wasser im Mixer oder mit dem Pürierstab cremig pürieren. Mit Salz und Pfeffer abschmecken.
Die Aubergine und die Tomate waschen und in dünne Scheiben schneiden. 2 EL Olivenöl in einer Pfanne erhitzen und die Aubergine darin auf beiden Seiten je 2 Minuten braten. Mit Salz und Pfeffer würzen und herausnehmen.
Den Backofen auf 220 °C Ober-/Unterhitze (200 °C Umluft) vorheizen.
Den Rotkohl waschen, in feine Streifen hobeln oder mit einem Messer fein schneiden. Restliches Olivenöl in der Pfanne erhitzen und den Rotkohl darin 2 Minuten anbraten, dann den Zitronensaft dazugeben und mit Salz und Pfeffer würzen.
Baguette(s) längs halbieren und im Ofen 3 Minuten kross backen.
Reichlich Hummus auf den unteren Baguettehälften verteilen. Zuerst etwas Rotkohl darauflegen, dann die Auberginen- und Tomatenscheiben, zuletzt die Kartoffelchips. Die oberen Baguettehälften mit Pesto bestreichen und die untere Hälfte damit bedecken.

SAMURAI-SHAKES

A. Matcha-Banane-Schoko-Shake

ZUTATEN für 1 Shake

300 ml Hafermilch
50 g weißes Mandelmus
2 EL Agavendicksaft
1 Msp. gemahlene Vanille
1 leicht gehäufter TL Matcha
2 leicht gehäufte TL Biokakao
70 g Banane
5 Eiswürfel

ZUBEREITUNG ca. 3 Minuten

Alle Zutaten, bis auf die Eiswürfel, gründlich mixen. Eiswürfel in ein Glas geben und mit dem Shake aufgießen.

B. Matchariñha

ZUTATEN für 1 Shake

2 Biolimetten
250 ml stilles, kaltes Mineralwasser
1 gestr. TL Matcha
60 g Agavendicksaft
5 Eiswürfel

ZUBEREITUNG ca. 3 Minuten

1 Limette halbieren und den Saft auspressen (ca. 40 ml Saft). Mit Mineralwasser, Matcha und Agavendicksaft gründlich mixen.
1 Limette waschen, abtrocknen und in Viertel schneiden. Mit Eiswürfeln in ein Glas geben und mit Matcha-Limetten-Mix auffüllen.

C. Matcha-Vanille-Mandelmilch

ZUTATEN für 1 Shake

300 ml Mandelmilch
1 Prise jodiertes Meersalz
1 ½ EL Agavendicksaft
2 Msp. gemahlene Vanille
1 leicht gehäufter TL Matcha
5 Eiswürfel

ZUBEREITUNG ca. 3 Minuten

Alle Zutaten, bis auf die Eiswürfel, gründlich mixen. Eiswürfel in ein Glas geben und mit dem Shake aufgießen.

A
B
C

SÜSSE BELOHNUNGEN

BEST MÜSLIRIEGEL IN TOWN

ZUTATEN für ca. 24 Riegel

250 g Haferflocken
100 g gehackte Haselnüsse
80 g getrocknete Bananen
60 g Cornflakes
150 ml Agavendicksaft
4 EL Sojasahne
½ EL Rohrzucker
2 TL gemahlene Vanille
2 EL Mehl
jodiertes Meersalz
200 g Zartbitterschokolade
(50 % Kakaoanteil)

AH! Beim Rezeptnachkochen und Probieren im Verlag war dieses Rezept einer der ausgemachten Lieblinge.

ZUBEREITUNG ca. 20 Minuten plus ca. 13 Minuten Back- und 30 Minuten Kühlzeit

Den Backofen auf 180 °C Ober-/Unterhitze vorheizen. **Haferflocken** und **Haselnüsse** in einer beschichteten Pfanne bei mittlerer Hitze unter Rühren ca. 10 Minuten anrösten. **Getrocknete Bananen** grob hacken und die **Cornflakes** zerbröseln. Vorbereitete Zutaten mit **Agavendicksaft, Sojasahne, Rohrzucker, Vanille, Mehl** und 2 Prisen **Meersalz** gut durchmixen. Circa 5 mm dick auf einem mit Backpapier belegten Backblech (ca. 40 × 36 cm) verteilen. Ein Stück Backpapier in der Teiggröße auf den Teig legen, mit einem Nudelholz oder den Händen glatt streichen und gut anpressen, damit der Teig zusammenhält. Masse mit Backpapier abgedeckt im heißen Ofen ca. 13 Minuten backen. Dann 30 Minuten abkühlen lassen.

Zartbitterschokolade über dem Wasserbad schmelzen. Dafür in einem Topf etwas Wasser zum Kochen bringen. Die Schokolade in einer Metallschüssel über dem Wasserbad bei mittlerer Hitze schmelzen lassen. Die Metallschüssel darf das Wasserbad nicht berühren. Teig in ca. 12 × 5 cm große Riegel schneiden und einzeln in die Schokolade tauchen, dann auf Backpapier trocknen lassen.

MOUSSE BLACK 'N' WHITE MIT ERDBEEREN

ZUTATEN für 4 Personen

200 g weiße Reismilchschokolade

200 g Zartbitterschokolade (50 % Kakaoanteil)

600 ml kalte Sojaschlagsahne

300 g Erdbeeren

2 Vanilleschoten

2 EL Rohrzucker

AH! Wer es wie auf dem Foto rechts schwarz-weiß mag, braucht weiße Reismilchschokolade für die weiße Mousse. Die gibt es beispielsweise von Bonvita oder BioArt. Viele Bioläden haben sie nicht, obwohl sie lieferbar wäre. Deshalb empfehle ich dir, einen Vorrat im Onlineshop zu kaufen.

ZUBEREITUNG **ca. 25 Minuten plus ca. 40 Minuten Kühlzeit**

Weiße und dunkle **Schokolade** mit einem Messer klein hacken und getrennt voneinander über einem Wasserbad schmelzen. Dafür in einem Topf etwas Wasser zum Kochen bringen. Die Schokolade in einer Metallschüssel über dem Wasserbad bei mittlerer Hitze schmelzen lassen. Die Metallschüssel darf das Wasserbad nicht berühren. Anschließend 10 Minuten abkühlen lassen. Inzwischen die **Sojaschlagsahne** steif schlagen. Jeweils die Hälfte der Sahne mit einem Schneebesen unter die beiden flüssigen Schokoladensorten heben und 30 Minuten im Gefrierschrank fest werden lassen. **Erdbeeren** waschen, putzen und halbieren. **Vanilleschoten** längs aufschneiden und das Mark mit einem Messer herauskratzen. Die Erdbeeren mit **Rohrzucker** und Vanillemark mischen und kühl stellen. Mousse aus dem Gefrierschrank nehmen, mit zwei Esslöffeln Nocken abstechen und mit den Erdbeeren auf Desserttellern servieren.

MACADAMIA CHOCOLATE CHIP COOKIES

ZUTATEN für 8 große Cookies

70 g Zartbitterschokolade (50 % Kakaogehalt)
50 g Macadamianüsse
250 g Dinkelmehl (Type 630)
150 g Rohrzucker
100 g Biomargarine
1 TL Backpulver (5 g)
50 g ungesüßte Sojamilch
1 Prise jodiertes Meersalz
½ TL gemahlene Vanille

ZUBEREITUNG ca. 10 Minuten plus ca. 15 Minuten Backzeit und ca. 45 Minuten Abkühlzeit

Den Backofen auf 180 °C Ober-/Unterhitze (160 °C Umluft) vorheizen. **Schokolade** und **Macadamianüsse** grob hacken. **Mehl, Zucker, Margarine, Backpulver, Sojamilch, Salz** und **Vanille** in eine Schüssel geben und mit den Knethaken des Rührgeräts oder mit den Händen gut zu einem glatten Teig verarbeiten. Dann die Nüsse und die Schokolade unterheben.

Den Teig ca. 1 cm dick ausrollen und mit einem runden Ausstecher oder einem Glas (ø 4–7 cm) Cookies ausstechen. Auf ein mit Backpapier ausgelegtes Backblech legen und im Ofen ca. 15 Minuten backen.

Anschließend ca. 30 Minuten abkühlen lassen und danach ca. 15 Minuten in den Tiefkühler stellen, damit die Schokolade wieder hart wird.

AH! Die Cookies schmelzen auf der Zunge – traumhaft lecker! Ich mag am liebsten Zartbitterschokolade mit 50 Prozent Kakaogehalt, die ist aber leider oft nicht bio. Achte auf die richtige Backzeit: Sind die Cookies zu lange im Ofen, werden sie zu hart und bröselig. Mach den Geschmackstest: Gib diese Cookies deinen Freunden – und dann welche aus der Packung. Schick mir das Ergebnis auf Facebook! Danke!

KARTOFFELPUFFER MIT APFEL-KIRSCH-MUS

ZUTATEN für 2 Personen (10 Stück)

700 g fest- oder mehligkochende Kartoffeln
1 große Zwiebel (brutto ca. 150 g)
1 ½ gehäufte EL Kartoffelstärke (38 g)
jodiertes Meersalz
50 g Biomargarine

Für das Apfel-Kirsch-Mus

500 g Äpfel (netto ca. 320 g)
80 ml Kirschsaft
50 g Rohrzucker

AH! Besorge dir unbedingt eine gute Küchenreibe – damit macht die Arbeit mehr Spaß. Während der erste Schwung Kartoffelpuffer in der Pfanne ist, kannst du schon mal mit dem Dip anfangen. So sparst du viel Zeit.

ZUBEREITUNG ca. 35 Minuten

Die **Kartoffeln** schälen und mit einer groben Küchenreibe reiben. Die **Zwiebel** schälen und fein hacken oder ebenfalls reiben, das geht schneller. Alles in eine Schüssel geben, die **Kartoffelstärke** unterheben und mit etwas **Salz** würzen.

Für das Apfel-Kirsch-Mus die **Äpfel** schälen, vierteln, entkernen und in kleine Stücke schneiden. Mit **Kirschsaft** und **Zucker** in einen kleinen Topf geben, aufkochen lassen und bei mittlerer Hitze 4–6 Minuten unter mehrmaligem Rühren weich kochen. Abkühlen lassen, eventuell kurz in den Tiefkühler stellen.

Die **Margarine** in einer Pfanne erhitzen und jeweils 1–2 EL Kartoffelmasse für einen Puffer in das heiße Fett geben. Die Puffer auf jeder Seite ca. 4 Minuten bei mittlerer Hitze kross ausbacken. Nach jedem Puffer erneut etwas **Margarine** in die Pfanne geben. Die Puffer auf Küchenpapier abtropfen lassen.

SCHOKOTORTE „DIMI DE LUXE“

ZUTATEN für 1 Springform (ø 23 cm)

Für den Teig

300 g Rohrzucker
250 g Biomargarine (Zimmertemperatur)
300 g Dinkelmehl (Type 630)
40 g Sojamehl
300 ml ungesüßte Sojamilch
1 TL gemahlene Vanille
1 Päckchen Backpulver (17 g)
1 Prise jodiertes Meersalz
60 g schwach entöltes Kakaopulver

Für die Schokocreme

750 ml schlagfähige Sojasahne (gekühlt)
450 g Zartbitterschokolade (50 % Kakaogehalt)
1 TL gemahlene Vanille
80 g Rohrzucker

AH! Diese Schokotorte ist der Knaller im Büro, auf Geburtstagen und Partys. Sie ist schnell gemacht, cremig-lecker und supersaftig. Nimm unbedingt gekühlte vegane Sahne und probiere vorher ein paar Sorten. Backe den Boden am Vorabend, bereite die Schokocreme vor und stelle sie kühl. Dadurch hatte der Teig genug Zeit zum Abkühlen und die Creme ist fester. Und du kannst am nächsten Morgen einfach beide Komponenten zusammenfügen.

ZUBEREITUNG ca. 40 Minuten plus ca. 45 Minuten Backzeit und ca. 2 Stunden 30 Minuten Kühlzeit

Backofen auf 180 °C Ober-/Unterhitze (160 °C Umluft) vorheizen. Den **Zucker** mit der **Margarine** schaumig schlagen. **Mehl, Sojamehl, Sojamilch, Vanille, Backpulver, Salz** und **Kakaopulver** dazugeben und zu einem glatten Teig rühren. Den Boden der Springform mit Backpapier auslegen, den Teig hineingeben und glatt streichen. Etwa 45 Minuten auf der mittleren Schiene backen, anschließend 1 Stunde abkühlen lassen.

Sojasahne aufschlagen. 400 g **Schokolade** im Wasserbad schmelzen. 250 ml der geschlagenen Sojasahne, **Vanille** und **Zucker** unterheben und cremig rühren. Diese Mischung zur restlichen geschlagenen Sojasahne geben und alles mit einem Schneebesen vermengen. 30 Minuten im Tiefkühler kühlen.

Den abgekühlten Boden längs mit einem großen, scharfen Messer in drei Teile schneiden (es gehen auch nur zwei). Einen Teil der Schokocreme auf dem unteren Boden verteilen, den nächsten Teigboden darauflegen und erneut Creme darauf verstreichen, den dritten Boden darauflegen und den Rest der Creme darauf verstreichen.

Mit einem Sparschäler Schokoladensplitter von der restlichen **Schokolade** abhobeln und die Torte damit garnieren. Nun die Torte für 1 Stunde kühl stellen.

REIS-SCHOKO-VIERECKE

ZUTATEN für 9 Stück

140 g Kakaobutter
40 g Kakaopulver
1 gestr. TL gemahlene Vanille
100 g Haselnussmus
1 Prise jodiertes Meersalz
70 g Agavendicksaft
60 g gepuffter Vollkornreis

ZUBEREITUNG **ca. 20 Minuten plus ca. 40 Minuten Kühlzeit**

Die **Kakaobutter** grob hacken und in einem Wasserbad vorsichtig schmelzen. Dann von der Herdplatte nehmen. **Kakaopulver, Vanille, Haselnussmus, Salz** und **Agavendicksaft** in einer großen Schüssel miteinander vermengen. Dann die geschmolzene Kakaobutter dazugeben und mit einem Schneebesen zu einer cremigen Masse verrühren. Anschließend den **gepufften Reis** unterheben und mit einem Löffel gut verrühren. 20 Minuten abkühlen lassen und auf einem mit Backpapier ausgelegten Blech 1 cm dick verstreichen.
Im Tiefkühlgerät ca. 20 Minuten kühlen, alternativ im Kühlschrank 1 Stunde abkühlen.
Wenn die Masse fest ist, mit einem scharfen Messer in 4 cm große Quadrate schneiden.

AH! Diese Vierecke erinnern geschmacklich stark an einen süßen Snack, den es an Tankstellen und im Supermarkt gibt – weißt du welcher? Ach, ist ja egal. Hauptsache, meine Version ist mit gesundheitsförderndem Vollkornreis und Bio-Fairtrade-Kakao ein köstlicher Snack für zwischendurch. Aber Vorsicht: Suchtgefahr! Den gepufften Vollkornreis gibt's im Bioladen. Falls du einen Induktionsherd hast, kannst du die Kakaobutter auch direkt im Topf auf der schwächsten Stufe schmelzen lassen.

POWERKUGELN

A. HAFER-SURVIVAL-BALLS

ZUTATEN für 20 Stück

200 g feine Haferflocken
100 g getrocknete Soft-Aprikosen
30 g Kokosflocken
100 g Kokosmus
70 g weißes Mandelmus
1 TL gemahlene Vanille
½ TL Zimt
110 g Ahornsirup
1 TL schwach entöltes Kakaopulver

ZUBEREITUNG ca. 15 Minuten plus ca. 15 Minuten Kühlzeit

Die **Haferflocken** im Mixer grob pürieren, sodass ein grobes Mehl entsteht. Die **Aprikosen** fein hacken. Alle **Zutaten** bis auf das Kakaopulver mit einem Löffel zu einer festen Masse vermengen. Anschließend mit angefeuchteten Händen zu pralinengroßen Bällchen formen. Im Tiefkühler ca. 15 Minuten kühlen lassen. Anschließend den **Kakao** in ein kleines Sieb geben und die Pralinen leicht damit bestäuben. Im Kühlschrank halten sich die Bällchen ein paar Tage.

B. PISTAZIENTRÜFFELN „GRÜNE SONNE“

ZUTATEN für 16–17 Stück

150 g geschälte, ungesalzene Pistazien
30 g ungesüßte Cornflakes
70 g Agavendicksaft
50 g Cashewmus
1 Prise jodiertes Meersalz

ZUBEREITUNG ca. 15 Minuten plus ca. 15 Minuten Kühlzeit

Die **Pistazien** im Mixer oder Blitzhacker mahlen. Die **Cornflakes** mit den Händen zerbröseln. Alle **Zutaten** in einer Schüssel mit den Händen vermengen.
Die Hände mit Wasser befeuchten und aus der Masse Bällchen formen. Auf einen Teller geben und im Tiefkühler ca. 15 Minuten durchkühlen lassen.

AH! Das Kokosmus für die Hafer-Survival-Balls bitte nicht mit Kokosöl oder -fett verwechseln. Die Pistazien für die „Grüne Sonne“ gibt es günstig in türkischen Lebensmittelgeschäften.

A
B

TIPPS FÜR UNTERWEGS

TIPP 1 Im Restaurant sind oft gute vegane Kompromisse möglich. Ideal sind Restaurants, deren Speisen von Haus aus vegan sind. Zum Beispiel italienische Restaurants, denn Bruschetta, Pasta mit Tomatensauce oder eingelegtes gegrilltes Gemüse kommen alle mit pflanzlichen Zutaten aus. Ebenfalls ideal sind indische Restaurants. Hier findest du leckere Gemüsecurrys, aromatische Suppen und Reisgerichte. Auch beim Thailänder oder Chinesen wirst du immer fündig. Türkische Lebensmittelläden sind super für Unterwegssnacks wie Couscoussalat, gefüllte Reisblätter und Antipasti – dazu etwas frisches Fladenbrot und alle sind zufrieden!

TIPP 2 Dennoch kann es oft passieren, dass Kellner nichts über vegane Gerichte wissen und dir in Butter geschwenkte Nudeln unterjubeln. Mein Tipp: Sag einfach, du seist Allergiker, der auf Laktose, Tiereiweiß und Ei mit einem Kollaps reagiert. So wirst du zumindest ganz sicher veganes Essen bekommen.

TIPP 3 Die Tanke ist im Extremfall ein guter Anlaufpunkt für Veganer, zum Beispiel nachts um zwei, wenn man von einer Party nach Hause kommt und der Magen knurrt. Hier gibt es vegane Snacks, wie Studentenfutter, gesalzene Nüsse, einige Kartoffelchips und Flips, Erdnussriegel und zuckerfreie Kaugummis – das reicht im Notfall zum Überleben aus!

TIPP 4 Werde Sandwich-Meister! Oft weichen Sandwiches durch, wenn man sie mit zu feuchten Zutaten wie Tomaten oder Gurken belegt. Nimm diese Zutaten daher separat mit. Bestreiche dein Brot zuerst mit etwas Cashewmus oder Margarine – der Fettfilm schützt das Brot vorm Durchnässen. Um die Umwelt zu schützen, benutze statt Alufolie einfach etwas Brotpapier.

TIPP 5 Machst du wie ich oft längere Roadtrips, nimm das nötige Equipment mit. Ich habe immer Besteck, ein Kochmesser, ein kleines Holzbrett, ein Glas, eine Müslischale, einen flachen Teller, Papierservietten, einen Pürierstab, Matchabesen und -schale, einen Schwamm zum Saubermachen und Grundprodukte wie Cashewmus, herzhafte und süße Aufstriche, Brot, Reiswaffeln, Müslimischungen und Snackriegel dabei. Kauf dir morgens ein paar frische Zutaten dazu, zum Beispiel Blaubeeren, eine Banane und eine Reismilch, und mix dir mit dem mitgenommenen Müsli dein Frühstück. Für den herzhaften Hunger kaufst du dir eine Tomate und ein paar Sprossen, bestreichst eine Scheibe Brot oder eine Reiswaffel mit etwas Aufstrich und belegst alles mit den frischen Zutaten. Das Ganze schont sogar dein Budget.

TIPP 6 Statt Plastikdosen zu benutzen, schau mal nach Retrodosen, wie man sie vom Militär kennt. Für Suppen eignen sich dagegen auslaufsichere Kunststoffdosen, die einen speziellen Clipverschluss haben. Für Getränke gibt es gut verschließbare Thermodosen oder Behälter aus Alu.

Der Einkaufs- und Ernährungsassistent für unsere Kochbücher

Abschreiben oder Abfotografieren war gestern
Rezepte aus unseren Kochbüchern lassen sich kostenlos auf **www.mengenrechner.de** an die Personenzahl und individuelle Portionsgrößen anpassen und als E-Mail auf dein Smartphone schicken oder gleich dort aufrufen. Zutaten lassen sich streichen, neue Zutaten ergänzen.

Rezept- und Zutatenfilter
Suche zum Beispiel nach veganen, vegetarischen, glutenfreien, laktosefreien oder nach Rezepten mit Zutaten, die du noch vorrätig hast. Speichere Lieblingsrezepte und Einkaufslisten.

Persönlicher Ernährungsassistent
Sortiere Rezepte nach Kalorien, Kohlenhydraten, Fett- oder Eiweißgehalt. Berechne wissenschaftlich deinen täglichen Kalorienbedarf und -verbrauch. Lege Maximalwerte für Kalorien- oder Kohlenhydrataufnahme fest. Führe Tagesprotokolle mit Nährwertbilanz.

INDEX

MEINE WEBSITE MIT DEN NEUESTEN INFORMATIONEN:
www.attilahildmann.de

In meiner kostenlosen „Vegan for You"-App, erhältlich für iPhone oder Android, bekommst du 20 kostenlose Rezepte zum Ausprobieren. Weitere Rezepte kannst du preiswert zukaufen.

Attila-Hildmann-App „Vegan for You"

Alle erschienenen Titel von Attila Hildmann im Becker Joest Volk Verlag sind auch als E-Book bei Amazon und iBooks erhältlich.

WWW.MENGENRECHNER.DE
kcal
UNSER KOSTENLOSER SERVICE FÜR SIE

Ausführliche Infos
Seite 126

Originalausgabe
Becker Joest Volk Verlag GmbH & Co. KG
Bahnhofsallee 5, 40721 Hilden, Deutschland

8. Auflage September 2018
ISBN 978-3-95453-093-9

REZEPTE UND TEXT Attila Hildmann
FOOD-FOTOS Simon Vollmeyer
FOOD-STYLING Johannes Schalk
PORTRÄTS Dipl.-Des. Justyna Schwertner
PROJEKTLEITUNG Johanna Hänichen
LAYOUT, GESTALTUNG Makro Chroma Joest & Volk OHG, Werbeagentur
BUCHSATZ Dipl.-Des. Katharina Staal
BILDBEARBEITUNG UND LITHOGRAFIE
Ellen Schlüter und Makro Chroma Joest & Volk OHG, Werbeagentur
LEKTORAT REZEPTE Bettina Snowdon, Dr. Stephanie Kloster
LEKTORAT Doreen Ludwig, Doreen Köstler
DRUCK Firmengruppe Appl, aprinta druck GmbH

BECKER
JOEST
VOLK
VERLAG
www.bjvv.de